簡単実験でわかる！解ける！

続 本当はおもしろい
中学入試の理科

尾嶋好美

大和書房

不思議なことを、
自分の手で解き明かそう

わたしたちの身のまわりには、「よく考えると不思議なこと」がたくさんあります。

たとえば、冷凍食品の袋の表示に、「早く解凍したいときは、流水につけてください」と書いてあるものがあります。実は、凍っているものは、空気中にそのまま置いておくより、水につけた方が早くとけるのです。でもなぜ、水につけると早くとけるのでしょう？

それは、液体と気体で熱の伝わり方がちがうからです。「氷を2つ用意し、1つは空気中に置き、もう1つは水につけて、どちらが先にとけるか比べてみる」という実験をすると、予想以上にとける時間がちがうことに気づきます（くわしくは50ページへ）。

「理科は暗記科目。覚えるのが大変だから苦手……」という声をよく聞きます。でも、覚えるのが大変なのは、言葉だけをそのまま覚えようとしているからかもしれません。

たとえば、「月の満ち欠けの問題」は多くの人が苦手としています。「三日月は21時ごろ、どの方角に見えますか？」というような問題です。これを「三日月は21時ごろは西の方に見える」と暗記して覚えたとします。

その場合、「満月は21時ごろ、どの方角に見えますか？」という問題に答えられるでしょうか。

　実は、月の形と見える時間は、太陽、地球、月の位置関係を考えれば、暗記しなくても答えることができます。すべて暗記で対処しようとすると、覚えることがとても多くなってしまいますが、道すじを立てて考える力があれば、暗記することはそれほど多くありません。「そうは言っても、考え方がわからないよ」という場合は、手を動かしてみましょう。

　この本では、そんな考え方を知るために、どのように手を動かせばいいかを紹介しています。自分の手を動かして、どうなるかを体感すると、考え方がわかりますし、忘れにくくなります。月の満ち欠けについては、ピンポン玉とライトを使った実験で、見え方を確認していきます（くわしくは118ページへ）。

　人工知能（AI）の技術がとても進んでいる現在、暗記することの価値は低くなっています。新たな世界を切りひらくために「自分で考える力」が大切になっているのです。中学入試でも、単に知識を問うよりも、考える力を問う問題が増えてきています。そして「考える力」を養うのに最適なのが、「実験」です。

　この本では、家にある材料を使ってできる簡単な実験を入り口に、中学入試の問題にチャレンジしていきます。何より、実験は楽しいです。「勉強のため」というよりも、ぜひ「楽しむために」実験をしながら、考える力をのばしていきましょう。

もくじ

地学

物理

＊本書では、小学4年生以上で習う漢字にふりがなをふっています。
　ただし入試問題は、出題された問題文をそのまま掲載している
　ため、それぞれの学校のふりがなをふる基準に合わせてあります。

2色のセパレートドリンクを
作るには？

どっちを
飲もうかな〜♪

みなさんは海にもぐったことがありますか？　海水の塩分濃度は約3％なので、ヒトは海にもぐることができますが、中東にある「死海」（イスラエルとヨルダンのあいだにある湖）ではもぐれずに、ぷかぷか浮いてしまうそうです。

死海は塩分濃度が約30％にもなります。雨がほとんど降らない地域で気温も高いため、水がどんどん蒸発して塩分濃度が高くなっていったようです。あまりにも塩分濃度が高いため、魚なども生息することができません。

さて、死海の水のように濃い食塩水を、真水の中に入れると、沈んでいきます。アイスティーにガムシロップを入れると、やはり沈んでいきます。物が浮くか沈むかは、どのようにして決まるのでしょうか？

実験　セパレートドリンクを作ろう

用意するもの

- オレンジジュース
- アイスティー
- 砂糖（さとう）
- 氷
- 大さじ
- はかり
- 計量（けいりょう）カップ
- コップ（透明なもの）

実験方法（じっけんほうほう）

オレンジジュースを下にしたドリンクを作る

←こっちの方が重いよ！

104.9g　　101.1g

❶オレンジジュース 100mL の重さをはかる。

❷アイスティー 100mL の重さをはかる。

❸オレンジジュースをコップに注ぐ。

きれいに分かれた！

❹オレンジジュースの液面（えきめん）より高くなるまで、氷を入れる。

❺氷を伝（つた）わらせながら、アイスティーをそっと注ぐ。

❻セパレートドリンクができた。

＊氷を伝（つた）わらせずに注ぐと、注いだときの勢（いきお）いで混ざってしまうため、氷は多め（ジュースの液面（えきめん）から頭が出るくらい）に入れましょう。

注ぐ順番を逆にするとどうなる？

❶アイスティーをコップに注ぎ、液面より高くなるまで氷を入れる。

❷氷を伝わらせながら、オレンジジュースをそっと注ぐ。

❸アイスティーとオレンジジュースが混ざった。

混ざってにごってしまった！

アイスティーを下にしたドリンクを作りたい！

アイスティーに砂糖を入れて、オレンジジュースより重くなるようにしてみよう。

❶アイスティー100mLに砂糖大さじ2を入れる。

❷ストローなどでよく混ぜる。

❸2の分量を100mLにして重さをはかる。

108.6g

❹3をコップに注ぎ、液面より高くなるまで、氷を入れる。

❺氷を伝わらせながら、オレンジジュースをそっと注ぐ。

❻セパレートドリンクができた。

浮くものと沈むものは何がちがう？

オレンジジュースの上にアイスティーを注ぐと、2層に分かれたセパレートドリンクができました。でも、注ぐ順を逆にして、アイスティーの上にオレンジジュースを注ぐと、混ざってしまいました。なぜでしょう？

小さな鉄の球（以下、鉄球）とワインのコルク栓（右写真）を用意して、水に入れたところを想像してみましょう。鉄球は水に沈み、コルク栓は水に浮きますね。沈むものと浮くものでは何がちがうのでしょうか？ 「重ければ沈むし、軽ければ浮く」と答えたくなりますが、もう少し考えてみましょう。

鉄球（左）とコルク栓（右）を水に入れると、鉄球は沈み、コルク栓は浮かぶ。

同じ 10g の重さの鉄球とコルク栓だったとしたら、どうでしょう？ コルク栓は水に沈むでしょうか？

実は、重さは同じでも、コルク栓は沈みません。「浮くか沈むか」は、重さで決まるわけではないのです。

右上の写真の鉄球は、直径約 1cm で重さは約 5g です。コルク栓は直径約 2cm、長さ約 6cm で約 3.5g です。鉄球は 2 個、コルク栓は 3 個で約 10g になります。鉄球とコルク栓では、同じ 10g でも、ずいぶん大きさがちがうことになりますね。

同じ大きさ（体積）のときに、どのくらいの重さであるかを示すのが「密度」です。物質の密度は、1cm³ あたりの重さで示されます。鉄の密度は 7.9 g/cm³、コルクの密度は 0.1 〜 0.2 g/cm³。鉄の密度はコルクよりずっと大きいのです。

水に物質が浮くかどうかは、その物質の密度が水の密度に比べて大きいか小さいかによって決まります。水の密度は 1.0g/cm³ なので、密度が水（1.0g/cm³）よりも大きい物質は水に沈み、小さい物質は水に浮きます。そのため鉄球は水に沈み、コルク栓は水に浮くのです。

一般的な海水の密度は 1.02 〜 1.03 g/cm³ です。ヒトを「皮膚で包ま

れた物体」と考えると、ほぼ海水と同じような密度です。そのためヒトは、海水には浮いたりもぐったりすることができます。一方、死海は塩分濃度が30％程度あり、密度は1.33 g/cm³程度になります。そのため、死海ではヒトは浮いてしまい、もぐることができないのです。

オレンジジュースの上にアイスティーが浮く理由

　液体の上に固体が浮かぶかどうかは密度によって決まりますが、同じように液体同士でも、密度が大きい液体の上に、密度の小さい液体が浮かびます。

　今回の実験で使った、オレンジジュース、砂糖なしのアイスティー、砂糖を入れたアイスティーの3つの液体の密度を比較すると「砂糖を入れたアイスティー＞オレンジジュース＞砂糖なしのアイスティー」となります。

　砂糖なしのアイスティーの上から、オレンジジュースを入れると、オレンジジュースの密度の方が大きいので下に沈んでいき、混ざってしまいました。

　アイスティーに砂糖を入れると、オレンジジュースよりも密度が大きくなります。そのため、下がアイスティー、上がオレンジジュースのセパレートドリンクを作ることができます。

　ただし、オレンジジュースとアイスティーは混ざりやすい液体なので、そのまま注ぐと、注いだときの勢いで混ざってしまいます。これを防ぐために氷を入れて、その氷を伝わらせながらそっと注ぐと、密度の大きい液体の上に密度の小さい液体が少しずつたまっていくので、混ざりにくくなります。氷の代わりに、マドラーやストローを使って静かに伝わらせながら注ぎ入れても、セパレートドリンクはできます。

　では、密度に関する問題を見てみましょう。

問題

　水の中にものを入れると、浮くものと沈むものがあります。水より軽いものは浮き、重いものは沈みますが、ここで言う「軽い」と「重い」は、単純な重さではなく、同じ体積で比べたときの重さのことを指しています。ここでは、同じ体積（1cm³）あたりの重さを「密度」と呼ぶことにします。密度の大小を比べることで、浮くか沈むかがわかります。

【問1】水ではない液体にものを入れる場合も、ものの密度と液体の密度の大小で、浮くか沈むかが決まります。例えば、アルコールにゴム球を入れたら沈みましたが、濃い砂糖水や水に入れたら浮きました。一方、新鮮なにわとりの卵を濃い砂糖水に入れたら浮きましたが、アルコールや水に入れたら沈みました。このことから、次のア～ウの液体を密度の大きい順に並べ、記号で答えなさい。

　　ア　アルコール　　　イ　濃い砂糖水　　　ウ　水

【問2】液体に液体を入れる場合は、注ぎ方に注意すれば、密度の大小で上下2つの層に分かれるようすが観察されます。例えば、茶色い色のついたコーヒーシュガーを溶けるだけ溶かした砂糖水を作って、それと同じ体積、同じ温度の水とともにビーカーに入れると、しばらくの間は2つの層に分かれているようすが観察できます。このようすを観察するためには、どのような注ぎ方をするとよいですか。次のア～エから適切なものを1つ選び、記号で答えなさい。ただし、「静かに注ぐ」とは、右図のようにガラス棒をつたわらせてゆっくり注ぐことを指します。

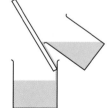

ア　水を先にすべて注いでから、砂糖水を静かに注ぐ。

イ　砂糖水を先にすべて注いでから、水を静かに注ぐ。

ウ　水から先に、水と砂糖水を少しずつ、交互に静かに注ぐ。

エ　砂糖水から先に、水と砂糖水を少しずつ、交互に静かに注ぐ。

（2020　駒場東邦）

解説

問1

「ゴム球をアルコールに入れたら沈み、濃い砂糖水や水に入れたら浮いた」ということから、密度の大きさは、濃い砂糖水や水 > ゴム球 > アルコールの順番であることがわかります。また、卵は濃い砂糖水には浮き、水やアルコールには沈んだということから、濃い砂糖水の密度が一番大きいことがわかります。

　密度は大きい順に、「イ」濃い砂糖水、「ウ」水、「ア」アルコールとなります。

問2

　砂糖水と水では砂糖水の方が密度が大きいので、下に沈みます。アのように、水が入っている中に砂糖水を注ぐと、砂糖水が下に沈んでいきますが、そのあいだに水と混ざっていきます。イのように、砂糖水が入っている中に水を静かに注ぐと、水は沈まずに上にたまっていきます。ウやエのように交互に注ぐと、水と砂糖水は混ざってしまいます。

　答えは「イ」です。

ヘ～ト ヘ～ト   ス～イ ス～イ

針金のアメンボが
沈まない理由

　すいすいと水の上を動くアメンボ。雨が降ったあとの水たまりにいることもありますね。アメンボは、肉食性の昆虫です。水面に落ちて動けなくなっている小さな虫などに近づいて、ストロー状の口を突き刺します。そして消化液を出し、とけた体液を吸い取っているのです。水面を優雅に泳ぐ印象とは、ずいぶんちがいますね。

　カメムシの仲間であるアメンボは、からだからにおいを出します。このにおいが飴のように甘いにおいで、からだつきは棒のように細いことから、「アメンボ」と呼ばれるようになったそうです。とても細い脚なのに、水の上に浮かんで、すいすいと動けるのはなぜでしょうか？実験を通して考えてみましょう。

モールアメンボを水に浮かべよう

用意するもの

● ラメモール
● ペンチやニッパー

*水がしみこむタイプの
モールではできません。

● じょうぎ
● ボウル
● 台所用 中性洗剤

実験方法

❶ モールをペンチで切り、長さ8cmのモール3本と、4cmのモール1本を作る。

❷ 8cmのモールを、4cmのモール（胴体）の中央に重ねてからませる。

❸ 残りの2本も同様にからませ、6本の脚にする。

❹ 6本の脚の先を折り曲げる。机の上に置いて、6本の脚の先がすべて机についているかを確認する。

浮いたよ！

❺ ボウルに水をはり、4のモールアメンボを浮かべる。

沈むよ！

❻ 台所用中性洗剤を1滴たらし、モールアメンボの様子を観察する。

水と水は引き寄せ合う

　モールで作ったアメンボは、細い針金でできているのに、水に浮かびました。これはなぜでしょう？

　右の写真のように、水を入れたコップを目の細かい網じゃくしの上で逆さまにしても、水はこぼれません。網じゃくしの網目にはすき間がありますが、水はこぼれていかないのです。

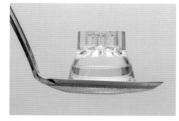

網じゃくしにはすき間があるのに、コップの中の水はこぼれない。

　水は水分子がたくさん集まってできています。水分子は互いに引き寄せ合う力がとても強い物質です（右図）。網じゃくしの目が細かいと、それぞれの網目のすき間の中で水分子が内側に引き寄せられるため、水は落ちていかないのです。

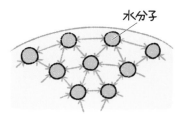

水分子

水分子の間には、お互いを引き寄せる力がはたらいている。

　コップに水をいっぱいに入れて横から見ると、少し盛り上がって見えますね（右下写真）。あふれそうになっている水がこぼれないのも、水分子同士が引き寄せ合っているからです。このように、水が空気などほかの物質とふれ合っているときに、水分子同士で引き寄せ合う力のことを「表面張力」といいます。

コップにいっぱいまで入れた水を真横から見ると、盛り上がって見える。

　実験で水にモールアメンボを浮かべると、浮きました。これは水分子が、水分子同士で引き寄せ合う力が強く、モールアメンボの脚を押し返しているからです。水に浮いているモールアメンボの脚と水面がふれている部分をよく見ると、水面が少しへこんでいるのがわかります。

17

中性洗剤を入れると沈んだのはなぜ？

水に台所用中性洗剤を1滴たらすと、モールアメンボはあっという間に沈みました。洗剤には、「界面活性剤」という、水分子同士が引き寄せ合う力を弱めるはたらきを持つ成分が入っています。界面活性剤の入った洗剤を入れた水では、表面張力が弱くなり、モールアメンボを押し返す力が弱まるので、沈んでしまうのです。

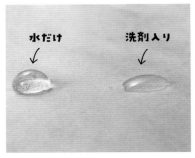

シートの上に水をたらすと丸く盛り上がる（左）。台所用中性洗剤と混ぜた水だと広がる（右）。

水をオーブンシートの上にたらすと丸く盛り上がりますが、洗剤と混ぜた水をたらすと、あまり盛り上がらずに広がります（**上写真**）。また、水をたくさん入れて水面が盛り上がったコップに洗剤をたらすと、盛り上がりはなくなって水がこぼれます。これも表面張力が弱くなるからです。

では、表面張力に関する問題を見てみましょう。

問題

タカノリ君は、以下の実験を行いました。これについて、問いに答えなさい。

シャボン液（洗剤と水をよくまぜたもの）と水の性質を調べる実験を行いました。表面がきれいなガラス板に、水だけを垂らすと丸い水滴（図1）になり、シャボン液だけを垂らすと平らな水滴（図2）になりました。

図1   図2

【問】この実験から考えられる性質について説明した次の文章の空らん（①）と（②）に入る言葉の組み合わせとして最もふさわしいものを、ア〜エから選び、記号で答えなさい。

「水どうしは（①）、そして（②）性質をもつと考えられる。」

	（①）	（②）
ア	引き合い	ちぢむ
イ	引き合い	のびる
ウ	反発し	ちぢむ
エ	反発し	のびる

（2020 暁星）

解説

　洗剤の入っているシャボン液と水のちがいに関する問題です。ガラス板に水をたらすと、水は図１のように半球状になります。これは、水分子同士が引き合い、内側に向かってちぢんでいくからです。

　一方、シャボン液では水滴が平べったく広がることから、洗剤が入ると水同士が引き合う力が弱まることがわかります。

「水どうしは（引き合い）、そして（ちぢむ）性質をもつと考えられる。」となるので、答えは「ア」です。

へこんだ！

固体のロウ

ロウソクが固まると 小さくなるのはなぜ？

　電車の線路のレールに切れ目が入っているのを見たことはありますか？　レールはほとんどが鉄で、ほんの少しだけマンガンや銅をふくんだ金属でできています。鉄は温度が高くなると、体積が大きくなるという性質があります。夏の強い日差しに照らされたレールは温度が高くなりますね。すると、レールがのびて少し長くなるのです。もしも、レールの切れ目にすき間がなかったとしたら、レールはゆがんでしまうことになります。これでは電車が脱線してしまうかもしれず、とても危険です。そのため、ところどころにつぎ目を入れてすき間を少しあけ、レールがのびても大丈夫なようにしているのです。

　このように、多くの物質は、温度によって大きさが変わります。ロウも大きさが変わります。温度の高い液体から温度の低い固体に変わるときに、どのくらい大きさが変化するかを実験してみましょう。

…… ← 冷えると固まって……

……… 液体のロウ

実験 液体のロウを固めよう

用意するもの

● ロウソク

● はさみ

● 耐熱性のガラスのコップ

● マスキングテープなど

● 小なべ

● 軍手

実験方法

❶ ロウソクのロウの部分をはさみでこまかくくだく。

❷ 1をコップに入れる。

❸ なべに浅く水を入れ、2のコップを入れて温める（湯せん）。

❹ ロウが完全にとけたら、軍手をはめた手でコップを取り出す。熱いのでやけどに注意。

❺ 液面の高さにマスキングテープをはって印をつけておく。

❻ ロウが冷えて固まるまでそのまま置いておき、形の変化を観察する。

中心がへこんだ！

22

固まると小さくなるロウ

　コップの中の液体のロウは、冷えていくにつれて固まって、真ん中がくぼんでいきました。外側の高さは、印をつけた液面の位置から変わっていません。外側の高さが変わらず真ん中がくぼんだということは、液体から固体になるときに「体積が減った」「ちぢんだ」ということですね。同じ「ロウ」なのに、なぜ液体と固体で大きさが変わるのでしょうか？

固体と液体と気体のちがい

　現在市販されているロウソクは、石油から取り出した「パラフィン」という物質からできています。ロウソクに使うパラフィンは、固体から液体になる温度（融点）が約60℃。そのためロウソクを湯せんすると、とけて液体になります。では、液体と固体では何が変わるのでしょう？

　パラフィン分子は、炭素と水素がたくさんつながってできていて、温度によって動き方が変わります。温度が低い固体のときは、パラフィン分子同士でくっついてほとんど動きません（下図）。温度が高くなると、それぞれが動くようになります。もっと温度が高くなると、１つ１つがバラバ

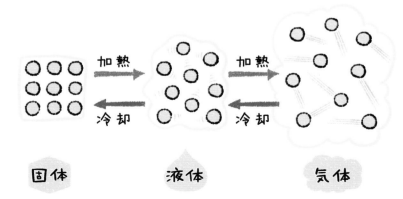

パラフィンは、液体から固体になると体積が小さくなる。

ラに飛び回るようになります。

　くっついてじっとしている状態が「固体」、ちょっと動いている状態が「液体」、バラバラに飛び回っている状態が「気体」です。液体のときより、固体のときの方が、ぎゅっと集まります。そのため液体から固体になると、ロウは小さくなるのです。このように、ほとんどの物質は、液体から固体になるときに体積が小さくなります（ただし水は、固体になると体積が大きくなります。くわしくは 28 ページへ）。

くぼみができた理由

　とけたロウが入っているコップをなべから出すと、コップのまわりが空気にふれて、外側にあるロウの温度が下がっていきます。温度が下がると液体から固体になるので、ロウは外側から固まっていきます。固まるときにぎゅっと集まる性質があるので、内側にあったロウが外側に引っぱられながら固まっていきます。

　時間がたつにつれ、内側の温度も下がっていきます。最後まで温度が高い部分、つまり液体のままのロウがあるのは、コップの中央です。でも、多くのロウは外側に引っぱられて固まってしまったあとなので、内側のロウは少なくなっています。そのため中央部分はくぼむのです。

　では、ロウに関する問題を見てみましょう。

問題

　けずったろうそくをビーカーに入れて温めてとかし、液体にしました（図 X）。液体になったロウをゆっくり冷やして、すべて固体になったときのようすとして、正しいものをア〜カから選びなさい。ただしア〜カは、ビーカーの中央を通る断面の図とします。また、図中の点線はロウが液体のときの液面の高さを表します。

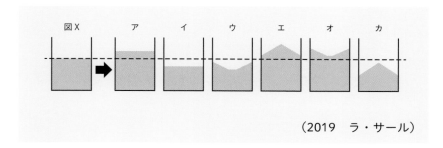

（2019　ラ・サール）

解説

　ほとんどの物質は、液体から固体になるとき、ぎゅっと集まって動かなくなるので、体積が減少します。ビーカーに入れたロウを温めるのをやめると、ビーカーの外側から冷えて固まっていきます。内側にあったロウが外側に引っぱられながら固まるので、最後まで温かい中央部分のロウは少なくなっています。そのため、中央部分はくぼむことになります。答えは「ウ」です。

水は氷になると大きくなる？小さくなる？

こんにちは
ペンギンさん

クマさん、
氷の上に
乗ってますね

北極点を掘り進むとどうなるでしょう？　北極点は大きな氷山の上にあるので、10mほど掘り進むと海水が出てきます。

　氷山は、氷のかたまりです。北極地方には、大小多くの氷山があります。でも、今は地球温暖化により、氷山がとけて少なくなっているそうです。

　ホッキョクグマは、氷山の上で狩りをして暮らしています。エサとなるワモンアザラシも氷山の上で子育てをします。そのため、このまま氷山が少なくなると、ホッキョクグマやワモンアザラシは絶滅してしまう可能性があるといわれています。

　氷山には、陸地に思えるほど大きなものから、人が乗れないくらい小さなものまでありますが、すべての氷山は海に浮かんでいます。氷山の海の上に出ている部分は、全体の10％程度。氷山の約90％は海の下に沈んでいるのです。氷山は、なぜ海に浮かぶことができるのでしょう？そして、水面に浮かんでいる割合が小さいのはなぜでしょう？

実験 水から氷になるとどうなる？

用意するもの

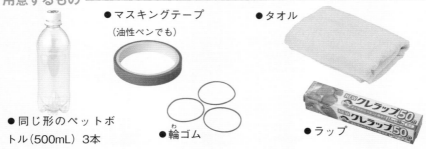

● マスキングテープ
（油性ペンでも）

● タオル

● 同じ形のペットボトル（500mL）3本

● 輪ゴム

● ラップ

実験方法

❶ペットボトル1本目に、水道水を400mL入れる。水面の位置にマスキングテープか油性ペンで印をつける。

❷2本目に、一度沸騰させたあと、室温程度まで冷ました湯冷ましを400mL入れ、1と同様に印をつける。

❸3本目に、湯冷ましを400mL入れ、1と同様に印をつけてふたをし、タオルで巻いて輪ゴムで固定する。

❹3のふたをはずし、3本ともラップで軽くふたをし、冷凍庫の中で立てた状態で2～3日凍らせる。

❺完全に凍ったら冷凍庫から出し、氷の様子を観察する。

＊ペットボトルを満タンにしてふたを閉めると破裂するおそれがあるので、水は400mL程度にし、ラップでふたをしましょう。

とても変わっている「水分子」

　ペットボトルの中の氷は、3本とも水面の印より盛り上がりました。ロウソクが液体から固体になったときは、中央がへこみましたね（22ページへ）。水とロウでは何がちがうのでしょう？

　水は温度によって、氷（固体）⇔ 水（液体）⇔ 水蒸気（気体）に変化します。ほとんどの物質も同じように、温度が変わると、固体、液体、気体に変化します。空気中の酸素も、温度が低くなれば液体に、さらに低くなれば固体に変わります。純金の指輪も、1064℃をこえると液体になり、2857℃をこえると気体になります。

　多くの物質は、同じ重さの固体と液体を比較すると、固体の方が体積が小さくなります。ロウも酸素も金も、固体の方が液体より体積が小さくなります。でも、水はちがいます。固体になると体積が大きくなるのです。

水分子の特ちょう

　水分子は水素原子2つと酸素原子1つがくっついてブーメランのような形を作っています（右図）。この水分子同士がゆるくつながって動いているのが液体の水です。

　温度が下がると、水分子はまわりの水分子ときっちりとつながって動かなくなります。これが固体の氷です。きっちりとつながりますが、このとき、水分子同士のあいだには、少しすき間がある状態です（右図）。すき間があるため、体積は液体の水のときより

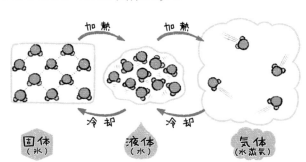

水は、液体から固体になると体積が大きくなる。

29

も大きくなるのです。

　水のように「固体になると体積が大きくなる」物質は、「ビスマス」という金属や、ガラスの材料などになる「ケイ素」など、ごく一部です。ほとんどの物質は、固体の方が液体より体積が小さいのです。身近な水は、実はとても変わった物質でもあるのです。

氷がとけても水はあふれない!?

　水は氷になると、体積が約 1.1 倍になります。氷を水の中に入れると、ちょうど増えた体積分が水面上に浮かびます。

　ためしに、水で満たしたコップに氷を入れてみましょう（**右写真**）。氷は水に浮かびますね。そのまましばらくおいて氷がとけるのを待ちます。氷がとけると水はあふれるでしょうか？

水がいっぱいに入ったコップに浮かんだ氷。氷がとけても水はあふれない。

とけていくにしたがって、水面に出ている部分は小さくなっていきます。そして氷がすべてとけても、水はあふれません。

　氷が水になると体積が減ります。氷が大きいときに水面に出ていた部分は、「水が氷になったときに増えた体積分」なので、氷がすべてとけても、あふれることはないのです。

氷の中に白い部分ができるのはなぜ？

　水道水は浄水場から、配水管を通って各家庭まで届いています。そのままだと水は流れていかないので、配水管内の水には高い圧力がかけられていて、空気がとけこみやすくなっています。

　水道水をなべに入れて加熱すると、最初に細かな泡が出てきます。これは、水道水の中にとけこんでいた空気です。ペットボトルに水道水を入れて冷凍庫で冷やすと、水はペットボトルの外側の部分から凍っていきます。水の中にふくまれていた空気は、水分子が結晶（氷）になるときに

押し出されて、内側に集まっていき、氷の中に閉じこめられます。閉じこめられた空気は小さな気泡となり、白く見えるようになります。そのため、ペットボトルの真ん中の方が白っぽい氷になるのです。

では、透明な氷を作りたい場合は、どうすればいいでしょう？　まずは空気をぬくために、一度沸騰させることが必要ですね。沸騰させると、水から空気が出ていきます。沸騰させてから冷ました水をペットボトルに入れて冷凍庫に入れます。これをゆっくり凍らせると、ぬけきらなかった空気が、徐々に真ん中に押し出されながら、外側の水から凍っていきます。このため、氷の中に透明な部分が多くできます。急速に凍らせると、空気が真ん中にぎゅっと集まる前に凍ってしまうことになるため、白い部分が多くなり、透明な部分は少なくなります。

ペットボトルにタオルを巻いてから冷凍庫に入れると、ペットボトルの中が冷えるまでに時間がかかるので、凍るスピードがゆっくりになります。タオルを巻いたペットボトルの氷の方が透明な部分が多くなるのは、このためです。

では、水と氷に関する問題を見てみましょう。

問題

実験1〜3のように冷凍庫で氷をつくりました。

［実験1］水道水100 mLをコップに入れて凍らせた。
［実験2］沸騰させた水道水100mLをコップに入れて凍らせた。
［実験3］沸騰させた水道水100 mLをコップに入れ、右図のようにプラスチック容器に入れて凍らせた。

プラスチック容器↓

【問1】できた氷をコップの横から見たときの様子はどれですか。た

だし点線は水を凍らせる前の水面の位置を表しています。

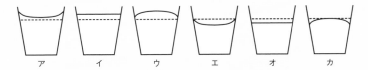

【問2】すべての実験で、氷には白い部分が見つかりましたが、実験1
よりも実験2の方が氷の白い部分が少なくなりました。この白い部分
には何が含まれていますか。

【問3】実験2よりも実験3の方が氷の白い部分が少なくなりました。
白い部分が少なくなったのはなぜですか。

（2021　市川）

解説

問1

　水の入ったコップを冷凍庫で冷やすと、水はコップに接している部分か
ら徐々に凍っていきます。液体の水から固体の氷に変わると、体積が大き
くなります。コップがあるので外側にはふくらまず、コップの中央に向
かってふくらんでいきます。このため、中心部分がふくらむことになりま
す。答えは「ウ」です。

問2

　この問題では水道水を凍らせていますね。水道水は純粋な「水」では
なく、空気がとけこんでいます。氷の白い部分は、空気が水分子と一緒に
固まったところです。
　水道水を沸騰させると、とけこんでいた空気がぬけていきます。沸騰さ
せた水道水は「とけこんでいる空気の量」が、沸騰させない水道水よりも
少なくなるので、白い部分が少なくなります。答えは「空気」です。

問3

　実験2は冷凍庫にコップをそのまま入れて凍らせていますが、実験3はプラスチック容器にコップを入れて凍らせています。プラスチック容器に入れたカップの中の水は、冷凍庫の冷たい空気に当たりにくくなるので、凍るスピードが遅くなります。ゆっくりと凍っていくので、より多くの空気が押し出されるのに十分な時間があることになり、空気をふくんで固まる白い部分が少なくなります。

　解答例としては「実験3は水がゆっくりと凍るので、水にふくまれていた空気がより多く押し出されて集まりやすくなったから」となります。

水に浮かべると咲く
紙の花を作ろう

だんだん

花びらが

開いていくよ

しわくちゃになってしまった洋服も、アイロンをかけるときれいに
なりますね。今は洋服をハンガーにかけたまま使える、衣類スチーマー
も人気があります。
　一般的なアイロンは、高温に温めて、生地に力を加えながら押し当
てることで、しわをのばしていきます。でも、衣類スチーマーは力を
加えずにスチームを洋服に当てるだけで、しわをのばすことができます。
　紙を花の形に切って折りたたんだものを、水に浮かべると、まるで
花が咲くように開いていきます。紙の花が咲くしくみと、衣類スチー
マーでしわがのびるしくみは同じなのです。さて、どのようなしくみ
なのでしょう？

実験　紙の花を水に浮かべて咲かせよう

用意するもの

● 色画用紙　　● はさみ　　● 皿

実験方法

❶画用紙を花の形に切る。

❷1の花びらを折りたたむ

❸皿に水を入れ、2を浮かべる。

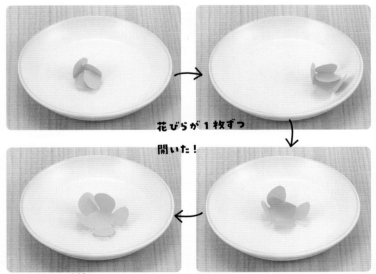

花びらが1枚ずつ

開いた！

❹紙の様子を観察する。

36

折りたたんだ紙はどうなっている？

　紙は、木や草から取り出した「パルプ」という細い繊維がからまり、結合してできています。原料となる木や草の種類によって、パルプの太さや長さは異なりますが、およそ直径20 〜 50μm（マイクロメートル）です。「μm = 1000分の1mm」なので、とても細いですね。和紙などは「紙が毛羽立つ」といって、表面にふわふわの細い繊維が出てくることがあります。この細い繊維がパルプです。

　紙を折り曲げると、折り目部分のパルプのからまりがゆるくなったり、結合が切れてしまったりします。このため、折った部分は破れやすくなります。「はさみがないけど、紙を半分に切らなければならない」というときは、「紙を半分に折る。一度広げて表裏を逆にしてまた折る」ことをくり返すと、切りやすくなります。これは、その部分のパルプの結合が切れるからです。

水が吸いこまれるのはなぜ？

　水は高い方から低い方に流れますね。でも、とても細いすき間があると、水はその中を低い方から高い方にのぼっていく性質があります。これを「毛細管現象」といいます。

　紙はパルプがたくさんからまってできています。パルプとパルプのあいだ、そしてパルプの中にも細いすき間があります。紙は細かいすき間だらけなのです。そのため、水は紙の中をのぼっていきます。

　手を洗ったあとに、タオルで手をふくと、手から水はなくなりますね。タオルも細い繊維が集まってできているので、細いすき間がたくさんあります。そのため水は、毛細管現象により、タオルに吸いこまれていくのです。

折りたたんだ紙が開くのはなぜ？

しわのある洋服に、衣類スチーマーを当てると、しわがなくなるのはなぜでしょう？

布は繊維を織ってできています。しわは、繊維が折れ曲がって変形し、そのままの形で固まってしまったためにできるものです。ほとんどの繊維は水分をふくむと、やわらかくなり、動きやすくなります。温度が高いと繊維はより動きやすくなります。衣類スチーマーは衣類に高温の蒸気を当てるので、繊

衣類スチーマーは、布に高温の蒸気を当てることで、しわをのばす。

維が蒸気を吸収して動きやすくなり、元の形にもどるのです。

実験で、折りたたんだ花びらが開いたのは、折り目部分のパルプが水をふくんだことにより、元にもどったからです。ただし、あまりにも強く変形し、パルプ同士の結合がすべて切れてしまうと、元にはもどりません。

折り目と毛細管現象

毛細管現象により、水は細いすき間をのぼっていきます。では、のぼっていく途中に折り目があるとどうなるでしょうか？

たとえ折り目があったとしても、水は、折り目がないときと同じように動きます。ためしにコーヒーフィルターを丸く切ったものを使って、「折り目部分では水がどのように動くか？」を見てみましょう。

コーヒーフィルターを丸く切り、8等分のおうぎ形になるように折りたたみます（**39ページ写真**）。一度広げて、中心から1cm程度はなれたところにサインペンで円を書きます。ふたたびたたんで、円の中心部分を水につけてみます。するとサインペンのインクは、折ったところも折らないところも同じように広がっていきます。

水分子はとても小さいので、折り目でパルプ同士のつながりが少し変形

❶紙のコーヒーフィルターを丸く切る。

❷８等分のおうぎ形になるように折りたたむ。

❸山折りと谷折りが交互になるようにする。

❹広げて、中心から1cmほどはなれたところに水性サインペンで円を書く。

❺ふたたびたたんで、中心を水につける。

❻広げてインクの様子を観察する。

していても、問題なく細いすき間を通ることができるのです。

　では、毛細管現象に関する問題を見てみましょう。

問題

　ろ紙を折り曲げたり斜めにしたりして水につけるとどうなるか疑問に思い、次のように予想をたてて調べました。

［予想］５分程度水につけておくと、ろ紙を折り曲げたところの水が、より高いところに移動する。また、ろ紙を斜めにしておくと、垂直にしておくよりも水の移動する距離が長くなる。

［予想］をもとにして、図1のように、ろ紙を①垂直に立てたもの、②折り曲げて垂直に立てたもの、③斜めにしたものを、5分程度水につけておきました。結果は図2のようになりました。

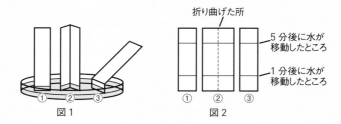

図1　　　　図2

【問1】図2から、［予想］は正しかったですか。次のア〜ウの中から1つ選び、記号で答えなさい。

ア　正しかった。

イ　間違っていた。

ウ　この結果だけからは判断できない。

【問2】丸型ろ紙の中心に水をつけるために、図3のようにして折り曲げ、中心のとがった部分を水につけて数分待ちました。ろ紙を開いて観察すると、水はどのように移動していると考えられますか。図2の結果をもとにして考え、下のア〜エの中から最も近いものを1つ選び、記号で答えなさい。ただし、山折りと谷折りで水につかるろ紙の長さにほとんど差はないものとします。

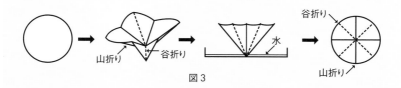

図3

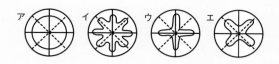

（2019　開成）

解説・・

問1

　［予想］では、「ろ紙を折り曲げたり斜めにしたりすると、水の移動する距離が変わる」としていました。でも、図2の結果を見ると、1分後に水が移動したところも5分後に水が移動したところも、3枚とも同じです。予想はまちがっていたので、答えは「イ」です。

問2

　図2を見ると、折ったところも折らないところも、同じように水が移動しています。この結果から、折り目に関係なく水は移動すると考えられます。答えは「ア」です。

コップの中に
水が吸いこまれるよ！

コップの中のロウソクの火が
消えると何が起きる？

　色水の中に逆さまに置いてあるコップ。その中に入っているのは、ロウソクです。よく見ると、コップの中の色水は、コップの外の色水よりも水面が高くなっていますね。
「色水にロウソクを浮かべ、その上にコップをかぶせただけ」なら、コップの中と外で色水の水面の高さは変わらないはず。ではなぜ、コップの中と外で水面の高さがちがうのでしょう？

実験 コップの中に水を吸いこませてみよう

用意するもの

● フローティングキャンドル
  またはティーライト

（直径3cm程度、高さ1cm程度のロウソク。100円ショップなどで手に入る）

● 食用色素

● 着火ライター

● 皿（深さがあるもの）

● ガラスのコップ

実験方法

❶ 水に食用色素を数滴たらし、色をつける。

❷ 皿の深さの半分くらいまで、1を入れる。

❸ キャンドルを2の中心に置く。

❹ キャンドルに火をつける。

❺ キャンドルにコップをかぶせる。

コップの中の水面に注目！

❻ しばらくコップの中の様子を観察する。

コップの中で何が起こっている？

　火がついたロウソクにコップをかぶせると、コップがくもりました。これはなぜでしょう？

　ロウソクを燃やすと、二酸化炭素と水蒸気が発生します。水蒸気は目には見えませんが、温度が下がって水になると見えるようになります。くもりの正体は、発生した水蒸気が冷たいコップの内側に当たって細かな水滴になったものです。

　コップをかぶせてしばらくすると、ロウソクの炎は小さくなり、やがて消えてしまいました。炎が小さくなっていくあいだ、皿の色水は少しだけコップの中に入っていきました。そして、火が消えたあとは、一瞬の間があいて、水が一気にコップの中に吸いこまれていきました。

　ロウソクが燃えるためには酸素が必要です。コップの中にある酸素を使いきってしまうと、ロウソクは燃えることができず、消えてしまいます。

　ロウソクが燃えているあいだ、コップの中の酸素は徐々になくなっていき、二酸化炭素と水蒸気が発生しています。発生した二酸化炭素の一部は、水にとけていきます。もともとコップの中にあった酸素が減り、キャンドルが燃えることで発生する気体の水蒸気は冷たいコップや水面に当たって水になり、二酸化炭素は水によくとけるので、コップの中の気体全体の量は減っていきます。そのため、コップの中では、気体が水面を押す力が小さくなります。コップの外の気体が水面を押す力は変わらず、コップの中の気体が水面を押す力は小さくなるので、コップの中に少しだけ水が入っていきます。

水が一気に吸いこまれるのはなぜ？

　ロウソクの外炎（一番外側の炎）の温度は約 1400℃になります。コップの中の空気は、炎によって温められています。ロウソクの火が消えると、その熱がなくなるので、コップの中の空気の温度は下がります。

空気の中では窒素分子や酸素分子などが飛び回っています。温度が高いと、それらの分子が飛ぶスピードが速く、まわりにぶつかる回数も多いので、まわりを押す力は強くなります。コップの中のロウソクの火が消えると、気体の分子が飛び回るスピードは遅くなり、まわりにぶつかる回数が減り、押す力も弱くなります。コップの外の気体が水を押す力は変わらないので、コップの外からコップの中に水が一気に入っていくのです。

では、ロウソクにコップをかぶせる実験に関する問題を見てみましょう。

問題

　　ある日の理科の授業で次のような実験を行いました。この実験について、「ひぐこさん」と「るばおさん」が話し合いをしています。次の実験と会話文を読み、以下の問いに答えなさい。

［実験］深さのある皿に、火のついたろうそくを1本おいた。皿に水を注ぎ、上からコップをかぶせた。しばらくしてろうそくの火が消えた①ので、火が消えた後の様子を観察した。

［結果］コップの外の水が中に入り、コップの中の気体の体積が小さ②くなっていた。また、コップの内側がくもっていた。

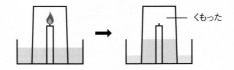

ひぐこ：まず、コップの中の変化について考えてみよう。

るばお：コップの内側がくもったのはなんでかな？

ひぐこ：ろうそくが燃えると二酸化炭素と水蒸気ができると教わった

よ。

るばお：でも二酸化炭素も水蒸気も気体だよ。どうしてくもったのかな？

ひぐこ：（　あ　）だよ。

【問1】下線部①の火が消えた原因として適切なものを次のア〜ウから1つ選び、記号で答えなさい。

ア　ろうそくが液体になって燃えるものがなくなったから。

イ　ろうそくを燃やすのに必要な酸素がなくなったから。

ウ　コップの中のすべての気体がなくなったから。

【問2】（　あ　）に入る適切な理由を次のア〜ウから1つ選び、記号で答えなさい。

ア　水蒸気は目に見える気体だから

イ　水蒸気が水に変化したから

ウ　水蒸気が氷に変化したから

【問3】下線部②のようになった理由を1つ答えなさい。

（2022　カリタス女子　改変）

解説

問1

　火が燃えるためには、「燃えるもの」「燃えるのを助ける酸素」「発火点より高い温度」の3つが必要です。燃えているロウソクにコップをかぶせると、やがて酸素が足りなくなって火が消えてしまいます。答えは「イ」

47

です。

問 2

　問題文にあるように、ロウソクを燃やすと二酸化炭素と水蒸気が発生します。水蒸気は、コップに当たると冷えて水滴になります。水蒸気は見えませんが、水滴は見えるので、くもるのです。答えは「イ」です。

問 3

　水の入った皿の上で燃えているロウソクにコップをかぶせると、火が消えたあとに、コップの中に水が入っていきます。これにはいくつかの理由があります。

　ロウソクが燃えると二酸化炭素と水蒸気が発生します。水蒸気は、コップや水面に当たると冷えて液体の水に変わります。水蒸気から液体に変わると、水の体積は 1700 分の 1 になります。また、二酸化炭素は水にとけやすいので、ロウソクが燃えることで発生した二酸化炭素はコップの中の水にとけていきます。ろうそくの火が消えると、コップの中の温度は一気に下がり、中の気体の体積は小さくなります。

　解答例は、「水蒸気が水に変化したから」「二酸化炭素が水にとけたから」などとなります。

水にとける二酸化炭素

　炭酸水、コーラ、ビール、シャンパンなど、泡の出る飲みものはたくさんありますね。これらの泡の正体は「二酸化炭素」です。

　炭酸水やコーラなどの炭酸飲料は、高い圧力をかけて二酸化炭素を水の中にとけこませています。500mLの炭酸飲料には、2L程度の二酸化炭素がとけこんでいるそうです。炭酸飲料の中の二酸化炭素は、水分子に囲まれてバラバラになっています。でも、何か刺激があると二酸化炭素同士でくっつきます。そして、水の中にとけていることができなくなり、小さな気泡となって外に出ていくのです。

　炭酸飲料の入った容器をふると、その刺激で二酸化炭素同士がくっつきます。容器のふたをあけた瞬間、中身があふれ出たという経験はないですか？　これは、とけていられなくなった二酸化炭素が一気に外に出て、その勢いで中の液体もあふれ出てしまうからなのです。

　炭酸飲料にラムネ菓子を入れると、噴水のように泡が出ます。これも、刺激を受けて二酸化炭素同士がくっつき、液体の中にとどまっていられなくなるからです。

氷のとけるスピードを
変えてみよう

どうして

氷の大きさが

ちがうのかな？

３本のペットボトルに同じ量の水を入れ、冷凍庫に入れて凍らせます。この３本を冷凍庫から出して部屋の中に置いておくと、氷はとけていきますね。でも、左ページの３本は、とけるスピードがちがいます。なぜちがうかというと、実は、３本のペットボトルのうちの２本には、あらかじめ小さな穴があけてあったのです。

　小さな穴からはとけた水が流れ出ていきます。しばらくして観察すると、残っている氷の大きさにちがいが見られました。一番大きな氷が残っているのは、底の方に穴をあけたペットボトルでした。穴をあけていないペットボトルの氷は、ほかの２つよりも小さくなっていました。なぜこのような差ができるのでしょうか？

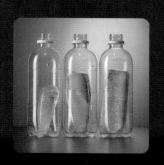

実験　**どの氷が早くとけるかな？**

用意するもの

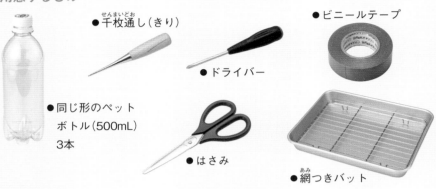

- 千枚通し（きり）
- ドライバー
- はさみ
- ビニールテープ
- 同じ形のペットボトル（500mL）3本
- 網つきバット

実験方法

❶1本のペットボトルは真ん中近くにきりで穴をあける。

❷もう1本のペットボトルは下から1〜2cmのところに、きりで穴をあける。

❸1と2の穴をドライバーで直径5mm程度に広げる。

❹3の穴をビニールテープでふさぐ。

❺3本のペットボトルに450mLずつ水を入れ、ふたをせず立てて、冷凍庫に1〜2日入れて完全に凍らせる。

❻完全に凍ったらビニールテープを取り、網つきバットの上に置いて氷のとけ方を観察する（3〜5時間）。

＊氷がとけてこぼれてきた水を受け止められるように、網つきバットの上に置きます。

氷のとけ方はどうちがう？

　ペットボトルに穴をあけてあるかど うか、そして穴の位置によって、氷の とけ方が変わりました（**右写真**）。

　穴をあけていないペットボトルで は、氷がとけた水はそのままペットボ トルの中に残ります。しばらくする と、中の氷は水の上に浮かんできまし た（写真：左のペットボトル）。

穴あり

　穴をあけたペットボトルでは、穴より上の水は流れ出します。真ん中に 穴をあけたペットボトルでは、中の氷が下半分は水につかり、上半分は水 につかりません。氷の形をよく見ると、下の方が細くなっていることがわ かります（写真：真ん中のペットボトル）。

　底から 1 〜 2cm のところに穴をあけたペットボトルでは、とけた水の ほとんどが流れ出てしまうので、中の氷が水につかっている部分はわずか です。3 本の中で一番大きな氷が残っているのは、このペットボトルでし た（写真：右のペットボトル）。

氷がとけるしくみ

　今回の実験から、「水に囲まれている氷」の方が「空気に囲まれている 氷」よりも早くとけることがわかります。

　氷がとけるのは、固まっていた水分子が動き出すからです。水分子が動 き出すためにはエネルギーが必要です。エネルギーをたくさん持っている 熱い分子とエネルギーが少ない冷たい分子がぶつかると、熱い分子から冷 たい分子にエネルギーが移動します。ペットボトルの中で氷となっていた 水分子が、ペットボトルの外側の空気中にある分子からエネルギーを受け 取ることで、氷から水になったのです。

エネルギーの伝わりやすさは、液体と気体とでは大きく異なります。その理由はぶつかり合う分子の数にあります。液体の方が気体よりも、ぶつかり合う分子の数がずっと多いのです。

氷が水に囲まれている場合を考えてみましょう。液体の水は、水分子がぎっしりと密に集まってできています。固体の氷の水分子もぎっしりと集まって固まっています。このため液体の水から固体の氷にはエネルギーが伝わりやすいのです。エネルギーは熱い分子から冷たい分子に伝わっていくので、まずはペットボトルの外の空気からペットボトルの中の液体の水へ伝わり、次に水から氷に伝わっていきます**（右上図）**。

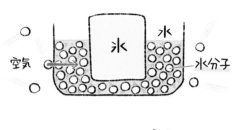

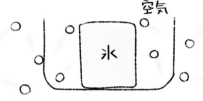

氷は、水に囲まれていると（上）、空気に囲まれているよりも（下）、熱が伝わりやすくとけやすい。

次に、氷が空気に囲まれている場合を考えてみましょう。空気中には窒素分子や酸素分子などがありますが、ぎっしりと集まっているわけではありません。そのため、分子同士がぶつかってエネルギーの移動が起こる回数が少ないのです。エネルギーはペットボトルの外の空気→ペットボトルの中の空気→ペットボトルの中の氷の順に伝わっていきます。気体はエネルギーを伝えにくいので、中の氷はなかなか温まりません。水につかっている氷より、空気中に置かれた氷の方が、とけるスピードが遅いのは、このためです。

ダウンジャケットはなぜあたたかい？

ダウンジャケットや羽毛布団など、羽毛を使ったものはあたたかいですね。でも、羽毛が「熱を出している」わけではありません。なぜあたたかく感じるかというと、わたしたちの体温を外に逃がさず、とどめておいてくれるからです。

羽毛はふわふわで、たくさんの空気をふくむことができます。空気は熱を伝えにくいので、体温であたためられたダウンジャケットの内側の熱が、外側の冷たい空気に移動しにくいのです。

暑い夏の日、コップに冷たい飲みものを入れても、すぐにぬるくなってしまいますが、真空ボトルに入れた冷たい飲みものは、時間がたっても冷たいままですね。その秘密は真空ボトルの構造にあります。真空ボトルは「外びん」と「内びん」の二重構造になっています。外びんと内びんの間は、ほぼ真空になっており、気体分子がありません。熱を伝えるものがないため、内びんの中の飲みものの温度と外びんの外側の空気の温度に差があっても熱の移動が起きることなく、飲みものを冷たいまま保つことができるのです。

では、氷のとけ方に関する問題を見てみましょう。

問題

空のコップと水の入ったコップがあります。そこに同じ大きさの氷を、それぞれ１つずつ入れると、水の入ったコップに入れた氷のほうが早くとけます。そこで氷のとけるようすを調べるために、つぎのような実験を行いました。あとの問いに答えなさい。

[実験]
同じ形の、空の 500mL のペットボトル（プラスチックのラベルは外

してある）が3本ある。ペットボトルAは下から1cmのところに、ペットボトルBは下から10cmのところに、それぞれ直径5mm程度の穴を1つあけた。ペットボトルAとBは穴をビニールテープでふさぎ、穴をあけていないペットボトルCとともに、下から15cmのところまで水を入れ、キャップを外したまま立てて凍らせた。25℃の部屋で、図のように、凍らせた3本のペットボトルを流しの中の台に置き、ビニールテープを外して氷がとけるようすを観察した。

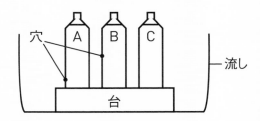

【問1】氷がとけ終わるまでの時間が短い順にA、B、Cの記号で答えなさい。また、その理由をつぎのア〜オからすべて選び、記号で答えなさい。

ア　空気は水より熱を伝えやすいから。

イ　水は空気より熱を伝えやすいから。

ウ　穴からあたたかい空気が入りこみ、内部で対流をおこすから。

エ　氷がとけた水が氷のまわりを覆うことによって氷がとけやすくなるから。

オ　穴から水がぬけることによって、熱が均等に伝わるから。

【問2】ペットボトルA〜Cの氷が半分ほどとけたときの氷のようすをア〜オから、とけた水の高さをあ〜おからそれぞれ選び、記号で答えなさい。

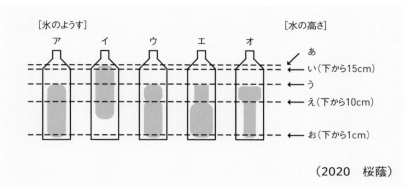

[氷のようす] ... [水の高さ]
ア　イ　ウ　エ　オ

あ
い（下から15cm）
う
え（下から10cm）
お（下から1cm）

（2020　桜蔭）

解説

問1

　空気中には窒素分子や酸素分子などがありますが、分子の数は少なく、移動スピードも早いので、なかなか熱の移動が起きません。液体の水は水分子がぎっちり集まっていて、熱の移動が起こりやすくなっています。そのため、まわりに水がある方が氷は早くとけます。ペットボトルCは穴がないので、とけた水が出ていかず、氷のまわりを水が囲むようになります。Bは穴より上の水はなくなりますが、穴から下の氷は水につかります。Aはとけた水がほとんど外に出ていってしまうので、氷のまわりは空気になります。

　氷がとけ終わるまでの時間は、短い順にC、B、Aとなります。そして、理由は「イ　水は空気より熱を伝えやすいから」と「エ　氷がとけた水が氷のまわりを覆うことによって氷がとけやすくなるから」の2つです。

問2

　ペットボトルAは下から1cmのところに穴があり、水が出ていきます。ですから水につかっている下から1cmの部分はとけるのが早くなります。そのため氷の形は「ア」のようになり、水の高さは「お」になります。

　ペットボトルBは下から10cmのところに穴があいているので、それ

より上にある水は穴から出ていきます。水につかっている部分はとけるのが早くなります。そのため、氷の形は「オ」のようになり、水の高さは「え」になります。

　ペットボトルCは穴があいていないので、氷がとけてできた水はそのままペットボトルの中にあります。氷は同じ体積の水よりも軽いので、浮きます。もともと入れた水は下から15cmの位置なので、氷がとけると、水面はその位置になるはずです。氷の大部分は水の中にあり、一部分が水面上に出ることになります。そして、氷が浮いているときも水面の位置は、全部が水になったときと同じです（30ページ参照）。そのため氷の形は「イ」で、水面の高さは「い」になります。

サウナでやけどをしないのはなぜ？

サウナに入ったことはありますか？　サウナには「乾式サウナ」と「湿式サウナ」などがあります。乾式サウナは、温度が 80 〜 100℃程度で湿度は約 10 ％、湿式サウナは 40 〜 60℃程度で、湿度は約 90 〜 100 ％です。50℃以上の熱さのお風呂に入ったらやけどをしてしまいますが、なぜサウナでは大丈夫なのでしょう？

一般的に湿度といえば、「相対湿度」のことを指します。相対湿度とは、その温度のときの空気 1m³ に最大限ふくむことのできる水蒸気量（飽和水蒸気量）を 1 としたときに、どのくらい水蒸気がふくまれているかを数値化したものです。50℃の場合、飽和水蒸気量は約 83g／m³ なので、相対湿度 50 ％ならば約 42g／m³、100 ％ならば約 83g／m³ の水蒸気がふくまれることになります。

お風呂に入ると、液体の水分子がからだをおおうことになります。液体の水の場合、1m³ の重さは約 1000kg です。お風呂とサウナでは、入ったときにからだにぶつかる熱い水分子の数がずい分ちがうことになりますね。同じ温度でも、お風呂ではやけどをし、サウナではやけどをしない大きな理由は、「からだに熱を伝える分子の数が少ないから」なのです。

花がしぼんで…

植物の種の中をのぞいてみよう

　アサガオは、朝方にきれいな花が咲くので「朝顔」と名づけられたようです。花は夕方になるとしぼんでしまいます。その後、しぼんだ花は落ち、しばらく日がたつと、花が咲いていたところに緑色の小さなふくらみができます。そのふくらみはどんどん大きくなっていきます。

　秋になると、アサガオは枯れて、緑色だったふくらみは茶色くなっていきます。この茶色いふくらみを開くと、中に黒くてかたい種が入っています。

　アサガオの種を見たことがある人は多いと思いますが、種の中を見たことはありますか？　種の中には、いったい何が入っているのでしょう？

種ができた！

実験 アサガオの種(たね)を開いてみよう

用意するもの ─────────────────

● アサガオの未熟(みじゅく)な実(まだ熟(じゅく)していない緑色の実)

● 小さなはさみ
（まゆ毛切り用など）

● つまようじ

実験方法(じっけんほうほう) ─────────────────

❶がくの部分をむく。

❷さや（外側(そとがわ)の皮の部分）をはさみで切り、種(たね)を1つぶ取り出す。

❸種(たね)の皮に、はさみで少し切りこみを入れる。

❹皮をていねいに取りのぞき、中に入っているものをつまようじで広げる。

＊ 熟(じゅく)していない緑色の実の中に入っている緑色の種(たね)は、皮がやわらかいため取りのぞきやすく、その中に入っている葉も緑色でやわらかいので、広げやすいです。
＊ 熟(じゅく)して黒くなった種(たね)の場合は、皮がかたいので、水にひたしてやわらかくしてからはさみで切りこみを入れ、皮を取りのぞきましょう。そのあと、そっと中身を広げていきます。

種の中には何がある？

　学校でアサガオを育てたことがある人は多いでしょう。種をまくと芽が出て、葉っぱの数が増えていき、つるがのびて、やがてたくさんの花が咲きましたね。花が咲いたあとは種ができます。1つの種から育ったアサガオにできる種の数は、数百個になることもあります。

　緑色の未熟な種を開いて中身を調べてみると、しわしわの葉っぱが入っています（右写真）。アサガオの種をまいてしばらくすると、双葉が出てきますね。これはもともと種の中にあったものなのです。

種の中に入っているしわしわのものを広げると、葉っぱの形になる。

　花が咲き、種を作る植物（被子植物）は、種から最初に出てくる「子葉」という葉の数によって、大きく2つに分類されます。葉の数が2枚のものは「双子葉植物」、1枚のものは「単子葉植物」です。ほとんどの双子葉植物の種の中には、アサガオと同じように、子葉が入っています。子葉の中に、発芽のための栄養がたくわえられているのです。そのため、葉は大きく、厚ぼったくなっています。

　一方、イネなどの単子葉植物の種の中には、大きな「胚乳」があります。芽が出てしばらくの間、子葉をふくむ「胚」は、胚乳を栄養として成長します。たとえば、わたしたちが「白米」として食べているのはイネの

柿の種の中には胚乳がある。

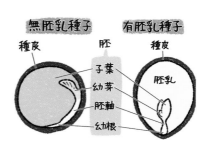

無胚乳種子　有胚乳種子

種皮　胚　種皮

子葉
幼芽
胚軸
幼根

胚乳

アサガオは無胚乳種子（左）、イネや柿は有胚乳種子（右）。

胚乳です。

　双子葉植物で胚乳を持つ植物は少ないのですが、胚乳を持つものもあり、身近な例では「柿」があります（63ページ写真）。イネや柿のように子葉が小さく胚乳が大きな種を「有胚乳種子」、アサガオのように子葉が大きく胚乳がない種を「無胚乳種子」といいます。

種の作られ方

　アサガオや菜の花などは、花の中に「めしべ」と「おしべ」がありますね（右図）。おしべには花粉があります。めしべの先に花粉がつくことを「受粉」といいます。受粉すると、めしべの下の部分の「子房」がふくらんできます。これが実になる部分です。まだ熟していない緑色のアサガオの実（62ページ写真）

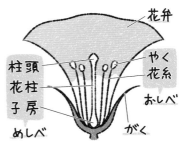

めしべの下の子房がふくらんで種になる。

を見ると、「がく」の中に実があるのがわかります。実の中にある種は、熟すと色が黒くなります。茶色くなったがくは外側に開き、さやが破れ、種がこぼれやすくなります。

花びらの数は何枚？

　アサガオの花をよく見ると、5本の線が入っているのがわかります。そして、花びらに切れ目はなく、1枚がぐるっとつながっていますね。花びらのことは「花弁」ともいいます。アサガオの花は、5つの花弁がくっついている「合弁花」です（右上写真）。ツツジやキキョウなども合弁花です。

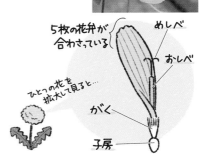

一枚に見える花びらは、実は5枚の花びらがくっついた1つの花。

バラや菜の花など、花びらが分かれているものは「離弁花」といいます。

花びらがたくさん集まっているタンポポやひまわり、キクの花は、離弁花でしょうか？　タンポポの花びらを1枚とってよく見てみると、いくつかの線が入っているのがわかります。タンポポなどのキク科の花は、細い花びらがくっついた「合弁花」なのです（64ページ下図）。

日の光を感じて咲くアサガオ

アサガオは朝に咲いて夕方にはしぼんでしまいますね。どうしてアサガオは「朝」がわかるのでしょう？　アサガオの葉には光を感じる物質がふくまれています。夜になると「光を感じなくなった」という情報が、葉からアサガオのつぼみに伝わります。光を感じなくなってから9時間ほどすると花が開きます。

夏至のころは、夜の長さが9時間に満たないので、アサガオは咲きません。7月を過ぎて昼が短くなり、夜の長さが9時間以上になると花が咲くのです。アサガオのように、昼が短くなって日の当たらない時間が長くなると花が咲く植物を「短日植物」といいます。キクやイネ、コスモスなども短日植物です。逆に、冬至を過ぎて日が長くなってくると花を咲かせる植物を「長日植物」といいます。アブラナ（菜の花）やカーネーション、小麦などが長日植物です。

では、アサガオに関する問題を見てみましょう。

問題

【問1】図1は開花したアサガオの花の断面図です。図2は開花後しばらくしてできたものです。図2のAの部分は、図1の（ア）～（オ）のどの部分が変化したものですか。適当なものを1つ選び、記号で答えなさい。

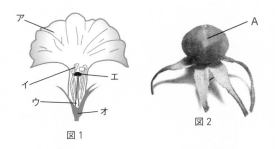

図1

図2

【問2】アサガオの花弁は、図1からもわかるように合弁花です。次の（ア）～（オ）から合弁花をすべて選び、記号で答えなさい。

（ア）タンポポ　（イ）アブラナ　（ウ）ツツジ　（エ）サクラ
（オ）ツバキ

（2021　大妻）

解説••

問1

　アサガオの実は、めしべの下にある子房が大きくなったものです。図2のA（実）の下にがくがあることからも予想できますね。答えは（ウ）です。

問2

　アサガオの花は、花びらがくっついている「合弁花」です。アブラナ、サクラ、ツバキは花びらが1枚1枚分かれているので、合弁花ではありません。ツツジはアサガオと同じように花びらがくっついています。タンポポは細い花びらがくっついた「合弁花」がたくさん集まっています。
　答えは、（ア）と（ウ）になります。

種の中に油がふくまれている理由

　春になると、川沿いの土手などが、黄色に色づくことがあります。菜の花が咲いているのです。花が咲き終わると、緑色のさやができます。そして、その中には種ができています。しばらくすると、緑色だったさやは茶色くなり、さわるとはじけて、中から黒い種が出てきます。菜の花の種（菜種）には、40％程度の油分がふくまれています。この油分を原料にしているのが、菜種油（キャノーラ油）です。ところでなぜ、種の中に油がふくまれているのでしょう？

　植物は、種のかたいカラをつきやぶって芽を出しますね。葉に日が当たり、光合成によって養分を作り出せるようになれば、どんどん成長できます。でも、葉が開くまでの間の栄養分は、種の中にたくわえておかなければなりません。油は、種の中にたくわえられた栄養分なのです。

　菜種も、アサガオの種も小さいのに、芽が出たあとはどんどん成長して大きくなっていきます。そして、1つの種から育った植物からはとてもたくさんの種がとれます。

　植物が、水と二酸化炭素を材料に酸素と糖（栄養分）を作り出す光合成を工業化できれば、エネルギー問題の解決に大きく役立ちます。そのため、日本はもちろん世界中で、光触媒などを用いた人工光合成の研究が進められています。

ごはんをかみ続けると甘くなるのは
なぜ？

たくさんかんで、
めしあがれ！

ごはん、パン、うどん、ジャガイモ。これらに共通することは何でしょう？　答えは、「炭水化物をたくさんふくむもの」です。わたしたちは、炭水化物をエネルギー源としているので、炭水化物を食べないと動けなくなってしまいます。

　お米や小麦、いも類の中にはたくさんのデンプンがふくまれています。でも、デンプンのままでは、わたしたちは吸収することができず、エネルギー源として使うことができません。そして「甘い」と感じることもないのです。

　でも、ごはんを食べると甘味を感じますね。ずっとかみ続けていると、さらに甘味が増していきます。

　デンプンには甘味を感じないはずなのに、ごはんをかみ続けると甘くなってくるのはなぜでしょう？

実験 デンプンを分解してみよう

用意するもの

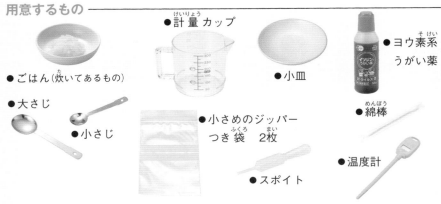

- 計量カップ
- ごはん(炊いてあるもの)
- 小皿
- ヨウ素系うがい薬
- 大さじ
- 小さじ
- 小さめのジッパーつき袋 2枚
- 綿棒
- 温度計
- スポイト

実験方法

❶計量カップに水100mLを入れ、うがい薬2mLをスポイトで加えてヨウ素液を作る。

❷温かいごはんを小さじ1ほど小皿に取り、お湯を大さじ2加えてスプーンなどでつぶす。

❸2の上ずみ液を、ごはんつぶがなるべく入らないように注意しながら、ジッパーつき袋2枚に小さじ1ずつ入れる。

❹綿棒をしばらく口にふくみ、だ液をしみこませ、3の袋の1つに入れる。

❺「上ずみ液だけの袋」と「上ずみ液とだ液をしみこませた綿棒を入れた袋」の2つの袋を、35℃くらいのお湯に10分ほどつける。

❻スポイトでヨウ素液を取り、5の袋それぞれに3滴ずつたらし、色の変化を見る。

だ液はどんなはたらきをするの？

　ごはんをつぶした上ずみ液にヨウ素液を加えると、茶色いヨウ素液が青紫色に変わりました。でも、だ液をふくんだ綿棒を入れた上ずみ液では、青紫色にはなりませんでした（右写真）。なぜでしょう？

ごはんをつぶした上ずみ液にヨウ素液を加えると、青紫色に変わった（左）。だ液をふくませた綿棒を入れた方は、色の変化がなかった（右）。

　お米や小麦、ジャガイモなどには、デンプンがふくまれています。デンプンはブドウ糖が数千個以上、長くつながったものです。わたしたちヒトは、デンプンのままでは体内に取りこむ（消化する）ことができません。そこで助けとなるのが、だ液です。食べものが口の中に入ると、だ液がたくさん出ますね。だ液の中には「アミラーゼ」などの酵素がふくまれていて、その酵素がデンプンを細かく分解し、からだに吸収できるようにしているのです。

　わたしたちが「味」を感じるのは、舌にある味細胞の中に、食品中の成分が入りこむからです。デンプンはブドウ糖が長くつながっていて、味細胞よりもずっと大きな物質です。そのため、味細胞に入りこむことができず、わたしたちは、デンプンの味を感じることができません。ですが、デンプンが分解されて、ブドウ糖や、ブドウ糖が2つつながった麦芽糖になると、甘味として感じることができます。ごはんをかみ続けていると甘くなってくるのは、ごはんのデンプンが、だ液の中のアミラーゼと混ざることで分解され、ブドウ糖や麦芽糖になるからです。

うがい薬の色の変化

「茶色のヨウ素液をジャガイモにたらすと、青紫色に変わる」というヨウ素デンプン反応の実験を、小学校でやったことがある人は多いと思います。ヨウ素は水にとけると茶色になり、デンプンが混ざると青紫色になる

という性質があります。ヨウ素系うがい薬も、ヨウ素をふくんでいるので、デンプンがあると茶色から青紫色に変わる性質を持っています。

　ごはんにお湯を加えてつぶした上ずみ液の中にはデンプンがふくまれているので、ヨウ素液をかけると青紫色に変わります。

　だ液の中にはデンプンを分解するアミラーゼがあります。そのため、上ずみ液の中にだ液をふくませた綿棒を入れると、ヨウ素デンプン反応が起こらなくなり、うがい薬をかけても色は変わりません。

　では、デンプンの分解に関する問題を見てみましょう。

問題

　三田さんは食事中、ごはんをよくかんでいると、味に変化があることに気づきました。調べてみると、ごはんはデンプンでできていることがわかったので、次のような実験を行いました。

［実験］
下図のように3本の試験管を用意し、その後、ヨウ素液を加えて色の変化を調べた。

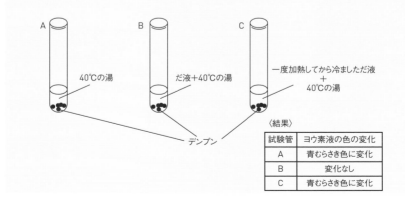

試験管	ヨウ素液の色の変化
A	青むらさき色に変化
B	変化なし
C	青むらさき色に変化

【問1】ごはんをよくかむとどのような味の変化がありましたか。ア〜エより1つ選び、ア〜エの記号で答えなさい。

　　ア　すっぱくなる　　イ　あまくなる　　ウ　からくなる
　　エ　苦しくなる

【問2】実験結果からわかることとして書かれたア〜エの文章のうち、正しくないものを1つ選び、ア〜エの記号で答えなさい。

ア　ヨウ素液を加えた後、色の変化がない試験管では、デンプンが分解されている。
イ　だ液は加熱されると、デンプンを分解できなくなる。
ウ　だ液は、加熱をする・しないにかかわらず、デンプンを分解できる。
エ　40℃の湯だけでは、デンプンを分解することができない。

(2022　三田学園)

解説

問1

　だ液の中には、デンプンを分解するアミラーゼという酵素があります。デンプンは分解されると、ブドウ糖や麦芽糖となり、甘味として感じられるようになります。答えは「イ」です。

問2

　ヨウ素液はデンプンがあると茶色から青紫色に変わります。デンプンが分解されると、ヨウ素液の色は変わりません。
　ア……色が変わらないということは、デンプンが分解されているということなので、正しいです。

73

イ……だ液 + 40℃の湯にデンプンを入れた試験管 B は、ヨウ素液の色が「変化なし」という結果になりました。このことから、試験管 B ではデンプンが分解されたことがわかります。一度加熱してから冷ましただ液 + 40℃の湯にデンプンを入れた試験管 C では、ヨウ素液の色は「青むらさき色に変化」となっています。このことから、試験管 C にはデンプンが残っていることがわかります。試験管 B と試験管 C のちがいは、だ液を加熱したかしないかです。加熱しないだ液はデンプンを分解しますが、一度加熱しただ液はデンプンを分解できなくなることがわかります。よって、イは正しいです。

　ウ……試験管 C では、ヨウ素液の色が青紫色に変わりました。このことから、一度加熱しただ液を入れた試験管では、デンプンが分解されずに残っていることがわかります。そのためウはまちがいです。

　エ……40℃の湯にデンプンを入れた試験管 A にヨウ素液を加えた結果は、「青むらさき色に変化」となっています。試験管 A にはデンプンが残っているので、40℃のお湯だけではデンプンを分解できないことがわかります。よってエは正しいです。

　以上から、正しくないのは「ウ」です。

ごはんのモチモチした食感の秘密

　わたしたちがふだん食べるごはんは「うるち米」を炊いたものです。おもちを作るときは「もち米」を使います。うるち米ともち米では何がちがうのでしょうか？

　米にはデンプンがふくまれています。デンプンの成分の中で、長く1本につながっているものは「アミロース」、あちこちに枝分かれしてつながっているものは「アミロペクチン」といいます。

　日本の一般的なうるち米のデンプンは、約20％がアミロースで、約80％がアミロペクチンです。もち米は、100％がアミロペクチンです。枝分かれしているアミロペクチンはからまりやすいので、ねばりが出ます。アミロペクチンの割合が多いほど、ねばりが強くなります。そのため、もち米の方がうるち米よりもねばりが強いのです。

　インドやタイなどでは、「インディカ米」が食べられています。インディカ米は、アミロースが25～30％、アミロペクチンが70～75％で、うるち米と比べてアミロペクチンの割合が低いです。このため、インディカ米はねばりが弱く、パラパラとしています。

とけるゼリーと、とけないゼリーの
ちがいはどこにある？

こっちはとけてるよ！

ゼリーを作ったことはありますか？　フルーツなどが入っていて見た目が美しく、冷たいゼリーは、夏に人気のデザートです。

「ゼリー」は、ゼラチンや寒天などを入れて固めて作ります。ゼラチンは固まると色が透明になりますが、寒天は白っぽくなります。そのため、見た目が美しいフルーツたっぷりのゼリーを作るときには、ゼラチンを使うことが多いです。

　でも、ゼラチンのゼリーに、生のキウイやパイナップルを入れると、ゼリーが固まらないのです。イチゴやオレンジはゼリーに入れても固まるのに、なぜキウイやパイナップルを入れると固まらないのでしょう？

実験 ゼリーをとかしてみよう

用意するもの

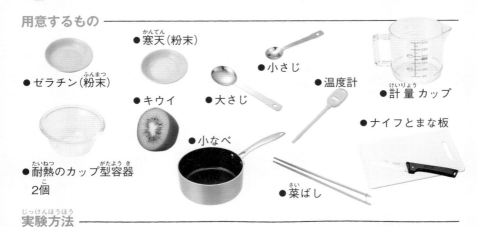

- ゼラチン（粉末）
- 寒天（粉末）
- キウイ
- 大さじ
- 小さじ
- 温度計
- 計量カップ
- ナイフとまな板
- 小なべ
- 耐熱のカップ型容器 2個
- 菜ばし

実験方法

❶ゼラチン小さじ1を水大さじ1でふやかし、80℃程度の湯100mLの中に加えてよく混ぜる。

❷1をカップ型容器に注ぎ入れ、冷蔵庫で冷やす。

❸寒天小さじ1と水200mLをなべに入れ、弱火にかける。

❹3が沸騰したら、菜ばしで混ぜながら1分間加熱する。

❺耐熱のカップ型容器に注ぎ入れ、冷蔵庫で冷やす。

❻2と5が固まったら冷蔵庫から出し、キウイをうすく切って上にのせる。1時間程度25℃以下の室温におき、様子を観察する。

＊ゼラチンと寒天の分量は目安です。使う材料の使用方法にしたがってください。

78

ゼリーがとけたのはなぜ？

ゼラチンを固めて作ったゼリーの上にキウイをのせてしばらくすると、少しとけました（**右写真**）。でも寒天で作った方はとけていません。同じように固まっているのに、ゼラチンのゼリーはとけて、寒天はとけないのはなぜでしょう？

ゼラチンを使った方は、しばらくするととけてきた（左）。

ゼラチンの原料は、動物の皮や骨に多くふくまれる「コラーゲン」というタンパク質です。タンパク質はたくさんのアミノ酸が長くつながってできています。

パイナップルやキウイには、タンパク質を分解してアミノ酸などにする「タンパク質分解酵素」がふくまれています。このタンパク質分解酵素は、名前の通りタンパク質を分解するので、タンパク質であるゼラチンからできているゼリーは固まっていられなくなるのです（**右図の上**）。

ヒトはタンパク質のままでは、体内に取りこむことができません。わたしたちが、卵や肉などのタンパク質を食べて消化できるのは、体内にさまざまなタンパク質分解酵素があるからなのです。

寒天がとけなかったのは、寒天は「食物繊維」という炭水化物でできていて、タンパク質分解酵素では分解できないからです（**右図の下**）。

ゼラチン（タンパク質）

タンパク質分解酵素　バラバラになる　アミノ酸

寒天（食物繊維）

タンパク質分解酵素　切れないまま

タンパク質分解酵素があると、ゼラチンは分解されるが、寒天は分解されない。

79

キウイやパイナップルを入れたゼリーを食べたい！

　では、「キウイやパイナップル入りのゼリーを作りたい！」というときは、どうしたらいいのでしょうか？

　キウイやパイナップルをゼリーに入れるとゼラチンが固まらない理由は、キウイやパイナップルの中にタンパク質分解酵素があるからでした。実はこの「酵素」もタンパク質からできています。

　タンパク質は熱を加えると形が変わります。たとえば生卵はどろっとしていますが、ゆで卵は固まっていますね。これは、卵の中のタンパク質の形が加熱により変わったからです。パイナップルを加熱すると、中に入っているタンパク質分解酵素の形が変わり、タンパク質を分解することができなくなります。そのため、「キウイやパイナップルが入ったゼリー」を作りたいときは、生のままではなく、加熱したキウイやパイナップルを使えばいいのです。缶詰のパイナップルは加熱されているので、これを使えば、パイナップル入りのゼリーを作ることができます。

ゼラチンや寒天が固まる理由

　寒天の原料は、海藻です。海藻の中には、食物繊維がふくまれています。ヒトはこの食物繊維を分解することができず、吸収できません。そのため、寒天は「カロリーゼロ」なのです。

　ゼラチンはアミノ酸が長くつながったタンパク質で、ひものような形をしています。食物繊維も、ゼラチンと同じように長いひものような形をしています。

　ゼラチンも寒天も加熱すると、ひもがバラバラになって動きだし、冷ますと

冷やすとひもがからまり合って固まり、加熱するととける。

一部がからまり合って固まります（86ページ下図）。夏にゼリーを冷蔵庫から出しておくと、とけてしまうことがあります。ゼラチンは冷やして固めても、25℃程度以上になるとまたとけます。一方、固まった寒天は70℃にならないととけません。そのため、水ようかんなどの夏に食べるデザートには、寒天を使ったものも多いのです。

　では、タンパク質の分解に関する問題を見てみましょう。

問題

　ある日、園子さんとお父さんは、あるテレビ番組を見ていました。その番組では、キウイフルーツをつぶしてスムージーを作る際、栄養をとるためにスムージーに牛乳を足してもよいと紹介していました。そのとき、園子さんは「牛乳を足すのは飲む直前にしてください」と注意書きが表示されていることに気がつきました。

園子さん：あれ、牛乳を足すときは飲む直前に足さないといけないの？
お父さん：うーん、何でだろう。ゼリーにキウイフルーツを入れると固まりにくいと聞いたことがあるけれど、それと関係があるのかな。

　調べたところ、キウイフルーツのスムージーに牛乳を足すのは飲む直前にした方がよいことと、ゼリーにキウイフルーツを入れると固まりにくいことの両方に、キウイフルーツに含まれるタンパク質分解酵素（タンパク質を分解する酵素）が関係していることがわかりました。キウイフルーツを牛乳に混ぜると、酵素が牛乳の中のタンパク質を分解して苦味のある成分に変えてしまうため、しばらくすると苦味が出てきます。

園子さん：そもそもタンパク質分解酵素って何だろう？

お父さん：ヒトが食物中のタンパク質を消化するときにも関係しているよね。

　園子さんとお父さんが調べたところ、タンパク質分解酵素の他にもさまざまな種類の酵素があることがわかり、それらの酵素には次のような性質があることがわかりました。

［酵素の性質］
　①酵素は目的の物質にだけはたらく。
　②ほとんどの酵素は、30 〜 40℃程度で最もよくはたらく。
　③極端（きょくたん）な高温にさらされると、壊（こわ）れてはたらかなくなってしまう。
　④酵素の種類によって、酸性で最もよくはたらくもの、中性で最もよくはたらくもの、アルカリ性で最もよくはたらくものがある。

　そこで、園子さんとお父さんは、キウイフルーツがもっているタンパク質分解酵素の性質を調べることにしました。キウイフルーツをミキサーにかけてスムージーをつくり、実験を行いました。

［実験方法］スムージーの一部を別の容器に入れ、沸騰（ふっとう）した湯の中で10 分間湯せんした後に冷ましました。次に、タンパク質の一種であるゼラチンをお湯に溶（と）かして容器に入れ、冷蔵庫で冷やしてゼリーをつくりました。ゼリーを小さじ 1 杯（ばい）ずつはかり取って、4 つの容器 A 〜 D それぞれに入れました。容器 A と B には小さじ 1 杯ずつの湯せんしていないスムージーをかけ、容器 C と D には小さじ 1 杯ずつの湯せんしたスムージーをかけ、次のような条件でしばらく置きました。なお、湯せんとは温めたいものを容器に入れ、容器ごと湯の中で間接的に温める方法です。

容器 A・C……4℃の冷蔵庫に入れた。

容器 B・D……25℃の室内においた。

［結果］容器 A……ゼリーは溶けなかった。

容器 B……ゼリーはよく溶けた。

容器 C……ゼリーは溶けなかった。

容器 D……ゼリーは溶けなかった。

【問】

次の文中の（あ）（い）としてもっとも適当な容器の記号を A 〜 D から選び、答えなさい。

［実験］では、酵素の「極端な高温にさらされると、壊れてはたらかなくなってしまう」性質を利用して、ゼリーが溶けたのはタンパク質分解酵素のはたらきによるものであることを明らかにしようとした。容器（あ）と容器（い）を比べると、ゼリーがタンパク質分解酵素によってよく溶けたことがわかる。

（2021 洗足 改変）

解説

結果を表にまとめてみましょう。

	湯せんしていないスムージーをかけた	湯せんしたスムージーをかけた
4℃	容器 A とけなかった	容器 C とけなかった
25℃	容器 B よくとけた	容器 D とけなかった

よくとけたのは、湯せんしていないスムージーをかけて、25℃の室温においたときのみでした。4℃ではとけていません。［酵素の性質］には、「ほとんどの酵素は、30 〜 40℃程度で最もよくはたらく」とあります。

容器 A と容器 B のちがいは温度であり、4℃よりも 25℃の方が酵素がはたらくことがわかります。

　容器 B と容器 D では、スムージーを湯せんしたかどうかというちがいがあります。スムージーの中にはキウイが入っていて、キウイにはタンパク質分解酵素がふくまれています。湯せんしていないスムージーをかけた容器 B ではゼリーがとけました。スムージーを湯せんすると、このタンパク質分解酵素が高温にさらされることになります。高温にさらされたタンパク質分解酵素をふくむスムージーをかけた容器 D はゼリーがとけませんでした。

　酵素の「極端な高温にさらされると、壊れてはたらかなくなってしまう」性質を利用して、ゼリーがとけたのはタンパク質分解酵素のはたらきによるものであることを明らかにしたい場合は、容器 B と容器 D を比べる必要があります。解答は、（あ）は「B」、（い）は「D」、または（あ）は「D」、（い）は「B」になります。

肉をやわらかくしてみよう

>>

　キウイにふくまれる成分によって、ゼラチンのゼリーはとけました。これと同じ原理を使って、かたい肉をやわらかくすることができます。

　部位によって多少のちがいはありますが、牛肉や豚肉、そして鶏肉には、タンパク質が20％ほどふくまれています。生の肉はやわらかいですが、加熱するとタンパク質がぎゅっとちぢみ、かたくなってしまいます。加熱する前にタンパク質を細かく切っておけば、タンパク質とタンパク質の間に、すき間がたくさんでき、かたくなるのを防ぐことができます。また、タンパク質分解酵素（プロテアーゼ）をふくむものを、加熱前の肉に混ぜておけば、加熱後もやわらかく保つことができるのです。

　キウイやパイナップルのほかに、マイタケやショウガにも、タンパク質分解酵素はたくさんふくまれています。マイタケやショウガをきざんで肉と一緒に混ぜておけば、肉はやわらかくなります。

　タンパク質が分解されると、うまみの元となるアミノ酸ができます。そのため、肉がやわらかくなるのと同時においしさも増すのです。

「マイタケとマイタケ以外のキノコと比べる」「マイタケの量を変える」「マイタケを混ぜてから、加熱するまでの時間を変える」「肉の種類を変える」など、いろいろ試して自由研究にするのもいいかもしれませんね。

食べものをおいしくする
発酵の力

水

砂糖

ドライイースト

塩

小麦粉

パンの材料はこれだけ！

パンの歴史はとても古く、古代エジプトの王であるラムセス３世（在位：紀元前 1186 ～ 1155 年ごろ）のお墓には、パン作りの様子が描かれています。

　小麦粉と水をこねたものを焼いただけのパンの原型は、紀元前 6000 ～ 4000 年ごろの古代メソポタミアでも作られていたようです。その後、古代エジプトで、「余ったパン生地を置いておいたところ、空気中の酵母がついて自然に発酵した。それを焼いてみたらおいしかった」ということから、酵母を使ったパン作りがはじまったようです。

　なぜ、酵母がつくとパンはおいしくなるのでしょうか？発酵とはどういうことでしょうか？

実験　アルコールを作ろう

用意するもの

● ドライイースト

● 砂糖

● 小さじ

● 小さめのジッパーつき袋　2枚

● 大さじ

● 温度計

● 計量カップ(容量300mL程度のものなら何でもよい)

実験方法

❶ ジッパーつき袋2枚にドライイーストを小さじ¼ずつ入れる。

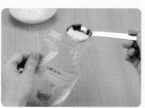

❷ 1の袋の1つに、砂糖小さじ½を入れる。

❸ カップに35℃程度のお湯を200mLほど注ぎ、その中からお湯をすくって、1と2の袋に大さじ1ずつ入れる。

❹ 袋の口をとじ、よくもんでお湯となじませる。

❺ 2つの袋を3のカップの中に入れる(温度があまり下がらないようにするため)。

泡が出てきた!

❻ そのまま20分ほどおき、袋の中の様子を観察する。

ドライイーストって何？

　20分ほどすると、砂糖を入れた方の袋の中は泡でいっぱいになっていました。袋をあけるとアルコールのにおいがします。なぜでしょう？

　ドライイーストはパンを作るときに使われます。イーストとは「酵母」のこと。酵母は5〜10μm（1μmは1mmの1000分の1）ほどの大きさの微生物です。ドライイーストは酵母を乾燥させ、活動停止状態にしたものです。お湯を加えると、酵母がふたたび活動をはじめます。

なぜアルコールと泡ができる？

　酵母は、糖を分解して、二酸化炭素とアルコール（エタノール）に変えるはたらきがあります。これを「アルコール発酵」といいます。実験で、ドライイーストと砂糖にお湯を加えると、たくさんの泡ができ、袋をあけるとアルコールのにおいがしました。これは、アルコール発酵が起こったためです。二酸化炭素が発生したので、泡ができたのです。

　ドライイーストとお湯だけを入れたものは、糖がないのでアルコール発酵が起こりません。そのため、泡はできませんでした。酵母にとって、一番活動しやすいのは35〜38℃前後。袋をお湯にひたしたのは、酵母が活動しやすい温度を保つためです。

　パン作りのときは、小麦粉と砂糖と水とドライイーストなどをこねた生地を35℃程度に保ってしばらくおく「発酵時間」が必要です。発酵時間の間にドライイーストが活動を再開し、砂糖を分解するのです。その結果、二酸化炭素とアルコールができるので、パンはふくらみ、味もよくなるのです。

発酵食品はどうやって作られる？

　味噌や醤油は「発酵食品」と呼ばれます。パンも発酵させて作りますね。では、「発酵」とはどういうことをいうのでしょう？

「発酵」とは、微生物が、物質を分解して味やにおいを変えることです。食べものなどが腐る「腐敗」も、同じように微生物が物質を分解することで起こります。発酵と腐敗は同じしくみですが、ヒトにとって有益なら「発酵」、害をもたらすなら「腐敗」といいます。

　味噌や醤油はどちらも大豆からできています。まずは麹というカビの仲間を使って、大豆の中のタンパク質やデンプンを分解します。タンパク質が分解されるとアミノ酸が、デンプンが分解されるとブドウ糖ができます。次に酵母を入れます。すると、大豆を分解してできたブドウ糖を使って、アルコール発酵が起こります。麹によりできたアミノ酸やブドウ糖、酵母によりできたアルコールといったものが、味噌や醤油に、独特の味や風味をもたらしているのです。

　味噌や醤油には、食塩もたくさん入っています。食塩は、味をつけると共に、保存性を高める役割もはたしています。食べものが腐るのは、毒素などを作り出す微生物が増えるからです。ヒトにとって害をもたらすので、これは「腐敗」ですね。微生物が増えるには、ある程度の水分が必要ですが、食塩を入れることで、微生物が使える水分量が減ります。すると微生物は増殖できなくなりますし、塩分濃度によっては死滅します。このため、食塩を入れると腐敗を防ぐことができるのです。味噌や醤油は数か月以上かけて作るため、「腐敗をもたらす微生物が死滅する」濃度の塩分が必要です。

　では、発酵に関する問題を見てみましょう。

問題

　和食の中心にあるのは、発酵調味料の味噌と醤油だといえるでしょう。特に味噌は、かつては多くの家庭でつくられており、その出来をおたがいに自慢しあっていたようです。自慢することを手前味噌というのはその名残であると考えられます。ここで、味噌づくりで利用し

ている酵母菌と麹菌という微生物に注目してみます。

　酵母菌はブドウ糖を分解し、エタノールというアルコールと、気体の二酸化炭素ができる発酵を行う微生物で、お酒やパンをつくるときにも使われます。パンをつくるときに使う酵母菌は一般的にはイースト菌とも呼ばれ、パンに独特の香りがあるのはエタノール、パンがふくらむのは二酸化炭素ができるためです。

　麹菌はカビの仲間ですが、日本で伝統的に使われている麹菌は世界的にも珍しい、毒をつくらないカビです。そして、でんぷんを分解してブドウ糖にする酵素や、たんぱく質を分解してアミノ酸にする酵素をつくって発酵を行い、お酒をつくるときにも使われます。

　味噌の中でも最も多くつくられている米味噌のつくり方を紹介します。

（1）白米を炊いて柔らかくする。

（2）（1）の米に麹菌を加えて発酵させる。これを麹という。

（3）大豆を炊いて柔らかくし、十分に冷えてからつぶす。

（4）（3）の大豆に塩を加え、麹菌を含む多くの微生物が死滅する濃度にし、（2）の麹を加える。

（5）麹菌がつくった、たんぱく質を分解する酵素が大豆のたんぱく質を分解し、アミノ酸にしていく。また、塩に強い酵母菌や乳酸菌が一部生き残っていて、これらも発酵を行い、さらに複雑な味にしていく。

【問1】味噌などの発酵食品が消化や吸収されやすいといわれる理由を答えなさい。

【問2】味噌が腐敗しにくく、長く保存できる理由を答えなさい。

（2022　麻布　改変）

解説 ┄┄┄

問1

　ヒトはタンパク質やデンプンをそのままでは吸収できません。酵素によりアミノ酸やブドウ糖に分解することで、はじめて吸収できるようになります。問題文にあるように、麹菌はデンプンを分解してブドウ糖にする酵素や、タンパク質を分解してアミノ酸にする酵素を作って発酵を行います。このときにできたブドウ糖を酵母菌が分解してアルコールができ、味噌や醤油独特の味や香りが生まれます。

　発酵食品は、麹菌による発酵の過程でタンパク質やデンプンがすでに分解されています。そのため、消化や吸収がしやすいのです。

　解答例は、「デンプンやタンパク質が微生物によって分解されているから」となります。

問2

　問題文の米味噌のつくり方の（4）に「（3）の大豆に塩を加え、麹菌を含む多くの微生物が死滅する濃度にし」とあります。塩分濃度が高いと、ほとんどの微生物は生きていられなくなるのです。

　解答例は「腐敗を引き起こす微生物が、塩を加えることで死滅するため」となります。

日本の財産である麹菌

　日本は、発酵の研究が盛んで、発酵の技術もとても高い国です。麹を使った発酵食品には、味噌や醤油、日本酒、酢、かつお節などがあります。日本では一般的な発酵食品ですが、ほかの国ではこれほど使われてはいません。なぜ日本には発酵食品が多いのでしょう？

　梅雨のときなどに、食べ物にカビが生えているのを見たことはありませんか？　湿度が高く、温度も高いところでは、カビが活動しやすくなり、どんどん繁殖もします。日本の多くの地域は、カビが生えやすい気候なのです。カビの中には毒素を作るものもあります。「ヒトに害を及ぼすカビは増やさず、食べ物をおいしくするカビを増やす」という発酵技術は、食べ物を保存するのに不可欠だったのです。そのため、日本では発酵に関する技術が発達しました。

　発酵食品はいずれも、それぞれを発酵させるのにふさわしい麹菌を使ってできています。麹菌とは、発酵食品を作るときに使用する麹を作るための菌の総称のことです。

　日本醸造学会は 2006 年、日本の豊かな食文化を支えてきた麹菌を、「国菌」に認定しました。このように、カビを国の菌として指定している例は日本だけだそうです。

雨はどうして降るの？

　夏の夕方、突然大雨が降ることがありますね。この雨は「にわか雨」や「夕立」、そして「ゲリラ豪雨」とも呼ばれます。厚い雲の下だけに大雨が降り、雨が降っていないところとの境目がはっきりしていることも多いです。

　気象庁によると、全国で1時間の降水量が80mm以上の大雨が降る回数は、2013～2022年の10年間は年間平均約25回ですが、1976～1985年の10年間では平均約14回だったそうです。大雨が降る回数は、40年ほど前に比べて、約1.8倍に増えているのですね。

　なぜ雨が降るのでしょう？　実験で雨を降らせて考えてみましょう。

コップの中に雨を降らせよう

用意するもの

● 耐熱コップ

● ラップ

● 熱湯

実験方法

❶コップの中に熱湯を入れる。

❷ラップでふたをする。

❸ラップがくもる様子を観察する。

水滴が大きくなって

落ちた！

❹ラップについた水滴を観察する。

＊熱湯を使うので、やけどに注意してください。

水滴ができたのはなぜ？

　コップにラップをかけると、すぐに白くくもりました。そのあと小さな水滴がたくさんつき、その水滴が集まってポタッと下に落ちていきました。

　熱湯を入れたコップの中には、水が気体になった水蒸気がたくさんあります。水蒸気は上にのぼっていき、ラップに当たります。ラップの上は、コップの中よりも温度が低いので冷やされ、気体から液体の水滴に変わります。これは雨のでき方ととてもよく似ているのです。

　地上で温められた空気は、上にのぼっていきます。空気の中には水蒸気がふくまれています。上空に行くにしたがって気温は下がります。すると気体だった水蒸気は冷やされて細かな水滴に変わります。もっと気温が低くなると氷のつぶになります。このような水滴や氷のつぶを「雲つぶ」と呼びます。雲つぶの大きさは半径 0.001 ～ 0.01mm ほど。1 つぶでは見えない大きさですが、たくさん集まったものは、白く見えるようになります。これが雲です（右図）。

空の上で冷やされた水蒸気が雲になる。

いろいろな雲の種類

　雲は、高さや形などにより、「巻雲」「巻積雲」「巻層雲」「高積雲」「高層雲」「積乱雲」「乱層雲」「積雲」「層積雲」「層雲」の 10 種類に分けられています。その中で雨を降らせるのは、「乱」がついている「積乱雲」と「乱

積乱雲は大雨、乱層雲はしとしと雨を降らせる。

層雲」です。土砂降りの雨は積乱雲、しとしとと長く降り続くときの雨は乱層雲が原因です（**97 ページ下図**）。

雨が降るしくみ

　積乱雲は、地上 500m くらいから、上空に向かって発達した雲です。雲の下からてっぺんまで 10km 以上になることもある分厚い雲です。夏によく見られ、入道雲とも呼ばれます。晴れていたはずなのに、突然大雨が降ることがありますね。それは積乱雲ができたからです。

　地上近くでできた積乱雲の中にある雲つぶは、半径 0.001 ～ 0.01mm という小ささですが、雲の中の上昇気流により上にのぼっていくうちに雲つぶ同士がくっついていき、どんどん大きくなって、半径 0.1 mm くらいになります。このくらいの大きさになると重くなり、上昇気流に乗っていられなくなって、下に向かって落ちはじめます。そして、まわりの雲つぶをくっつけながら、雨つぶとなって地上に落ちていきます。

　乱層雲は、「分厚い雲におおわれて、太陽が見えないどんよりした日」の雲です。地上 500m くらいから上空 6km くらいにまでできる雲で、厚さは 3km ほどです。積乱雲と同じように雲の中で雲つぶが集まって雨つぶになります。大きくなった雨つぶは、地上に落ちていく雨になります。

　寒い季節に、上空の気温がとても低くなると、雲の中で、雨つぶではなく雪の結晶ができます。結晶が大きくなると、雲から落ちて地上に降っていく雪となります。

　雪の結晶の形は、上空の気温と水蒸気の量によって変わります。同じものはできません。結晶の形で上空の大気の状態を知ることができるので、雪の研究者だった中谷宇吉郎博士は、100 年ほど前に「雪は天から送られた手紙である」と書き残しています。

　では、雨のでき方に関する問題を見てみましょう。

問題

　　上昇気流という上向きの風があります。水蒸気をたくさん含んでいる気温の高い空気は、上昇気流によって上空に上がっていきます。

　上空で水蒸気を含んだ空気のかたまりが冷やされると、水滴ができますが、氷の粒である氷晶になるものもあります。このようにしてできた水滴や氷晶を「雲つぶ」と呼び、雲つぶが集まってできたものが「雲」です。

【問1】雲の種類は多くありますが、雨を降らせる雲は2種類です。そのうちの1つに積乱雲があります。もう1つの雲を次の①〜⑤より1つ選び、記号で答えなさい。

① 巻層雲　　　② 高積雲　　　③ 積雲　　　④ 乱層雲
⑤ 層雲

【問2】上の文の下線部について、上昇気流を発生させる原因として適切でないものを次の①〜⑤より1つ選び、記号で答えなさい。

①　地面が太陽によってあたためられた。
②　つめたい空気があるところへあたたかい空気が押し寄せた。
③　山などの高くなっているところに風がふきつけた。
④　高気圧から空気がふきだした。
⑤　台風が発生した。

（2021　須磨学園　改変）

解説 ....

問1

　雨を降らせる雲は、地上付近から上空6km付近までの厚みがあり、あたりが暗くなる「乱層雲」と、青い空に上空10km以上まで広がる「積乱雲」の2つです。答えは「④乱層雲」です。

問2

　上昇気流は、上空にのぼっていく空気の流れのことです。

①……地面が太陽によってあたためられると、その付近の空気があたたまって軽くなり、上空にのぼっていきます。

②……冷たい空気とあたたかい空気がぶつかると、あたたかい空気の方が軽いので上にのぼっていきます。そのため、上昇気流が発生します。

③……山に風がぶつかると、山に沿って風は上にのぼっていきます。

④……高気圧とは、その部分がまわりより気圧が高くなっているということです。高気圧の場所では、空気はのぼっていかず、吹きだしてくるので、上昇気流は起こりません。雲もできないので、高気圧の場所は晴れています。

⑤……台風は、あたたかい海の上の空気が、上空にのぼっていくことで発生します。

　上昇気流を発生させる原因ではないのは④です。

突然の激しい雨はなぜ起こる？

　夏の夕方、せまい地域だけに短時間、激しく雨が降ることを「集中豪雨」といいます。集中豪雨は、なぜ起こるのでしょう？

　夏の太陽の強い光により、地表が温められます。温められた空気は上空にのぼっていくので、上昇気流が発生します。上空に冷たい寒気があると、上昇気流によってのぼっていった水蒸気が雲つぶとなり、大きな積乱雲が発生し、激しい雨が降るのです。

　上昇気流が起こる原因の１つは「太陽光で地表が温められること」ですが、近年、集中豪雨が増えている原因として、「排熱」が考えられています。暑い日は、エアコンを強くしないとなかなか冷えませんね。エアコンは、部屋の中の空気の熱を取り出して、外に排出しています。エアコンの使用量が多いと、外に出される熱（排熱）が多くなるのです。この排熱により、上昇気流が強まっていると考えられています。

　集中豪雨は、大きな被害をもたらすこともあるので、予報を出すことが望まれています。でも、集中豪雨を起こす積乱雲は数分間で一気に発達します。そのため、「いつ、どこに集中豪雨が降るか」という予測はむずかしかったそうです。近年、スーパーコンピューターなどを使い、集中豪雨を予測する研究が進んでいるので、「集中豪雨アラート」などが出る日も近いかもしれませんね。

→ 卵が吸いこまれて

落っこちた!

不思議！
卵がびんの中に吸いこまれる

　牛乳びんの中にカラをむいたゆで卵を入れようとすると、予想以上に力をかけて押しこまなければいけません。でも、水蒸気を使うと、ほんの 10 秒程度で、まるで手品のように、ゆで卵が牛乳びんの中に吸いこまれていきます。手で押しこむ必要もないのです。

　「水蒸気を使う」とは、どういうことでしょう？　そして、なぜ水蒸気を使うと、ゆで卵が牛乳びんの中に入っていくのでしょう？

実験　卵をびんに吸いこませてみよう

用意するもの

● ゆで卵 2個

● 牛乳びん 2本
（口が細くなった耐熱ガラス容器なら何でもよい）

● なべ

● 軍手

実験方法

❶ 牛乳びん1本は空のまま、もう1本には底から1cmくらいの高さまで水を入れる。

❷ なべに半分ほど水を入れ、2本の牛乳びんを入れて火をつけ、びんを温める（なべの水が沸騰しはじめるまで）。

❸ 両方のびんに、カラをむいたゆで卵をのせる（びんの口をふさぐように）。

びんの中に吸いこまれた！

❹ 軍手をしてびん2本を取り出し、そのましばらく卵の様子を観察する。

＊ゆで卵は、かたすぎると、吸いこまれるときにびんの口でちぎれてしまうので、かたくなりすぎないようにゆでてください。

牛乳びんの中の変化

　地球には空気があり、空気には重さがあります。わたしたちの上には分厚い空気の層があり、その重さは1cm²あたり約1.3kgにもなります。わたしたちは空気の重みで押されていることになります。これを「大気圧」といいます。大気圧のように、気体が何かを押す力を「気圧」といいます。

　温めていない牛乳びんの上にゆで卵をのせても何も起こりません。ゆで卵を上から押す力（びんの外の気圧）と、びんの中の空気がゆで卵を押し上げる力（びんの中の気圧）が同じだからです。

　でも、実験のように、なべで温めた牛乳びんの上にゆで卵をのせると、ゆで卵がびんの中に入っていくのです。なぜでしょう？

びんを温めると何が起きる？

　温めていない牛乳びんの中の空気がまわりを押す力と、牛乳びんの外の空気がまわりを押す力は同じです。つまり、牛乳びんの中と外の気圧は等しいといえます。

　牛乳びんを湯せんして温めると、びんの中の空気が温まります。空気は温度によって体積が変わります。同じ重さなら、温度が高い方が体積は大きくなります。0℃の空気の体積を1とすると、20℃では1.07、40℃では1.15、100℃では1.37になります。0℃と100℃ではかなりのちがいがありますね。

　牛乳びんを温めると、中に入っている空気の体積が大きくなり、大きくなった分の空気はびんの外に出ていきます。牛乳びんの中の空気の量（重さ）は少なくなるのです。実験では、温めた牛乳びんにゆで卵でふたをして、なべの外に出しました。このとき、牛乳びんの中の空気の量（重さ）は少なくなったままです。なべの外に出すと、牛乳びんの中の空気の温度は下がっていきます。空気の温度が下がると、ゆで卵を押し上げる力

（びんの中の気圧）が弱くなります。牛乳びんの外の空気がゆで卵を押す力（大気圧）は変わりません。そのため、ゆで卵は牛乳びんの外の空気に押され、牛乳びんの中に押しこまれます（**右図**）。

 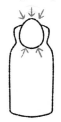

温めた牛乳びんが冷えると、びんの中から押す力よりも、外から押す力の方が大きくなる。

牛乳びんに水を入れて温めるとどうなる？

「水を少し入れた牛乳びん」をなべで加熱すると、びんの中では水が蒸発して水蒸気になっていきます。水が沸騰するのは100℃ですが、それ以下の温度でも、液体から気体への変化は起こります。テーブルにこぼれた水がいつの間にかなくなっているのは、水が蒸発して水蒸気となり、空気中に混ざったからです。

　水蒸気は水が温められて気体になったものです。1gの水は、液体では1cm³ ですが、水蒸気だと約1700cm³ になります。ずいぶん体積が大きくなりますね。そして水蒸気は、温度が低くなると液体の水にもどります。水蒸気が水にもどると、体積は約1700分の1に減少することになります。

　牛乳びんの中に水を入れて湯せんすると、温度が上がるにしたがって、水が水蒸気となります。そして、中に入っていた空気が押し出され、びんの中は水蒸気で満たされていきます。水蒸気で満たされた牛乳びんをなべから出すと、しだいに温度は下がります。水蒸気は温度が低くなると水にもどるので、牛乳びんの中には水が出てきます。水蒸気から水になると体積は1700分の1になるので、牛乳びんの中は、液体になった水と水蒸気がちょっとあり、そのほかは何もない状態＝真空に近い状態になるのです。

　水蒸気が充満している牛乳びんの中では、水蒸気がゆで卵を押し上

げています。でも、水蒸気が水に変わって真空に近い状態となった牛乳びんの中から押し上げてくれるものは、ありません。このため、上からかかる空気の重み（大気圧）によって、卵は牛乳びんの中に落ちてしまうのです（右図）。

空気と水蒸気のちがい

水を入れて温めたビン　冷めるとどうなる？

卵はしだいに びんの中に吸いこまれていく

びんの中に充満していた水蒸気（左）が、冷えることで水に変わって真空に近い状態となる（右）。

実験で、なべで温めた牛乳びん2本にゆで卵でふたをして外に出すと、どちらも、卵は牛乳びんの中に吸いこまれていきました。でも、吸いこまれるまでにかかる時間にはちがいがありました。水を入れて温めた牛乳びんの方が、何も入れずに温めた牛乳びんよりもずっと早く吸いこまれていったのです。これはなぜでしょう？

水を入れた方の牛乳びんでは、冷めると水蒸気が水に変わるので、中の気圧は一気に低くなります。空の牛乳びんは、冷たくなると中の空気の体積は小さくなるのですが、その変化はゆっくりで、気圧の変化もさほど大きくありません。そのため、水を入れて温めた牛乳びんの方が、ゆで卵が早く吸いこまれたのです。

では、吸いこまれる卵に関する実験を取り上げた問題を見てみましょう。

問題

2つのかわいたフラスコを用意した。1つは内側をぬらさないように気をつけて、ふっとうしたお湯の中で温めた。もう1つは図1のようにやかんのお湯をふっとうさせ、その口のところにかぶせるように

して温めた。2つのフラスコを同時に取り出し、その口のところに口の大きさよりも大きめの、カラをむいたゆでたまごをのせた。ゆでたまごは両方ともフラスコの中に吸いこまれるようにして入った。吸いこまれるまでにかかった時間は、かわいたフラスコが20秒、やかんの口で温めたフラスコが8秒だった。図2〜5は吸いこまれるようすを写したものである。

図1　図2　図3　図4　図5

【問1】次の文はやかんの口にかぶせたフラスコの上に置いたたまごが吸いこまれるしくみを説明したものです。空らんにあてはまる最も適当な言葉または数字を後から選び、記号で答えなさい。同じ記号をくりかえし用いてもかまいません。

　やかんで湯をわかすことによって水は（　①　）から（　②　）に姿を変える。この（　②　）をフラスコの中に満たして、ゆでたまごを使ってふたをするとフラスコの中と外の空気との出入りはなくなる。そのまましばらくおくとフラスコの中の（　②　）の温度は下がり、（　③　）に姿を変える。水の場合、（　③　）は（　②　）に比べて体積が（　④　）分の1しかないために、たまごはフラスコの中に吸いこまれるようにして入る。

ア：固体　イ：液体　ウ：気体　エ：17　オ：170　カ：1700

【問2】 中がかわいたフラスコの中に、ゆでたまごが吸いこまれるよ
うにして入った理由を説明しなさい。

（2018　森村学園　改変）

解説

問1

　やかんで水を加熱すると、水は水蒸気に変わり、口から出ていきます。
やかんの口にフラスコをかぶせると、フラスコの中が水蒸気でいっぱいに
なります。

　ゆで卵でフラスコにふたをしてしばらくすると、フラスコの中の温度は
下がり、水蒸気は水に変わります。水は水蒸気の 1700 分の 1 の体積し
かありません。そのためフラスコの中は真空に近い状態となり、ゆで卵
はフラスコの中に入っていきます。

　答えは、①＝「イ」、②＝「ウ」、③＝「イ」、④＝「カ」 です。

問2

　フラスコを温めると、フラスコの中の空気も温まります。空気は温度が
高くなると体積が大きくなります。ゆで卵でふたをしてしばらくするとフ
ラスコの中の温度が下がり、空気の体積は小さくなります。そのため、フ
ラスコの中の気圧はフラスコの外側に比べて低くなり、卵は吸いこまれる
のです。

　解答例は、「フラスコ内の空気が冷えて体積が小さくなり、フラスコの
外に比べて気圧が低くなったから」などとなります。

地層を

調べると

昔のことが

わかるよ！

110

エベレストの山頂で
貝の化石が見つかるのはなぜ？

　ヒマラヤ山脈にあるエベレストの標高は 8849m。世界でもっとも高い山ですね。それなのに、山頂から海の生き物の化石が見つかります。約 4 億 6000 万年前には、エベレストは海の中にあったのです。

　地球は、厚さ 100km ほどもある十数枚の岩盤（プレート）におおわれています。陸地も海も、すべてプレートの上にあります。プレート同士がぶつかると、ぶつかったところが盛り上がり、山脈ができることがあります。ヒマラヤ山脈は、インドプレートとユーラシアプレートがぶつかるところにあります。海底だったところが盛り上がってヒマラヤ山脈となったのです。

　さまざまな色の岩石が積み重なった「地層」も、プレートのぶつかりと関係があります。砂と水を使った実験で、地層のでき方をたしかめてみましょう。

実験 どれが先に沈むかな？

用意するもの

● 石（ハンマーなどで砕けるもの。100円ショップなどで売っている鉢植え用の鉢などでもよい）

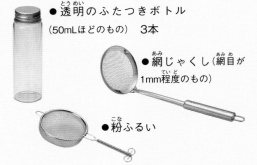

● 透明のふたつきボトル（50mLほどのもの）3本

● 網じゃくし（網目が1mm程度のもの）

● ハンマー

● 粉ふるい

実験方法

❶石をハンマーで大きな砂と粉状の細かい砂が混じった状態になるまでくだく。

❷1の砂を網じゃくしを使って分ける。網じゃくし上に残ったものを「れき」とする。

❸2で下に落ちたものを、粉ふるいを使って分ける。粉ふるいの上に残ったものを「砂」とする。下に落ちたものを「泥」とする。

❹小さなボトル3本それぞれに、れき、砂、泥を入れる。

❺4に水を注いでふたをする。

❻上下に何度かひっくり返して混ぜ、同時に立てて沈みかたを観察する。

＊くだいた石や砂が目に入らないよう、注意してください。

つぶの大きさがちがうと沈む速さが変わる

　3本のボトルを観察すると、「れき」はすぐに沈みました。次に砂が沈みました。「泥」は時間がたっても、なかなか沈みませんでした（右写真）。同じ石をくだいたものなのに、つぶの大きさによって、沈むのにかかる時間がちがうことがわかります。

つぶが小さくなるほど沈むのに時間がかかる。

　1つのボトルに「れき」「砂」「泥」を一緒に入れて水を注ぎ入れ、ふって混ぜてからしばらくおくと、下から「れき」→「砂」→「泥」と分かれて沈んでいく様子を観察できます（右写真）。この「大きさによる沈みかたのちがい」と同じことが、海で起こっているのです。

下かられき→砂→泥という順番で層になる。

土砂は川の流れにのって海へ運ばれる

　大雨が降ると、山から川へ、そして海へと水が流れていきます。海に流れこむ水の中には、れきや砂、泥などの土砂が混ざっています。川から勢いよく流れこむ水のため、海の中には沖に向かって水流ができます。海に流れこんだ土砂のうち、れきはすぐに沈んでいきます。このため、陸から近いところにはれきが多く沈んでいることになります（下図の「れき」）。

　砂はれきより沈むスピードが遅く、水流にのって沖に向かいながら少しずつ沈んでいきます。そのため、陸から少しはなれたところから砂が積もりはじめます（右図の「砂」）。

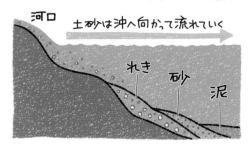

113

泥は沈むまでに時間がかかります。海の中でゆっくりと沈みながら、水流にのって沖合の方向に流れていきます。そして河口からはなれたところで、海底に積もります（113ページ下図の「泥」）。

　このようにして、河口から沖にかけて、れき、砂、泥の順番で積もっていきます。そして積もった土砂は海の中の水圧などにより、固まっていきます。固まって岩石のように固くなったものを「堆積岩」といいます。

陸地が盛り上がるとどうなる？

　地球は厚さ100kmほどの十数枚の岩盤（プレート）におおわれています。そして、プレートは少しずつ動いています。たとえば「太平洋プレート」は年間約8cm、北北東に向かって動いています。そのため、現在約6600kmはなれているハワイと日本は、8000万年後にはとなり合っているといわれています。

　プレート同士が動いてぶつかると、ぶつかった部分が盛り上がり、陸地の高さが変わることがあります。陸地が上昇するとどうなるでしょう？

　陸地が上昇すると、海面の高さが下がり、砂が積もっていた場所が陸地のそばにきます。する
と、砂でできた層の上にれきが積もるようになりますね。そして、泥の上に砂が積もります。こうして、つぶの細かい層の上に、つぶの粗い層ができます。

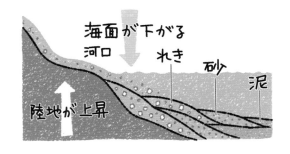

　プレート同士がはなれ、陸地が低くなることもあります。陸地が下がり、海面の高さが上がると、れきが積もっていたところは、陸地からはなれることになります。そのため、れきの層の上に砂が積もります。つぶの粗い層の上につぶの細かい層が積み重なるわけです。このように、陸地や海面の高さが変化することに

よって、積もるつぶが変わり、地層にはシマ模様ができるのです。

地層からわかること

　海の底に積もった土砂が固まってできた堆積岩には、海の中の生きものの化石がうもれています。数億年という長い時間の中で、地殻変動により、海の中だった場所が徐々に盛り上がり、山になることもあります。ヒマラヤ山脈はこのように海だったところが盛り上がってできたので、貝の化石が見つかるのです。

　北海道の三笠市などでは、アンモナイトの化石がとれます。アンモナイトは4億年前から6600万年前くらいまで生息していた貝です。三笠市は、その時代、海の底だったことがわかります。

　もしもサンゴの化石が堆積岩にうまっていたら、どういうことがわかるでしょう？　サンゴはあたたかくて浅い海に生息します。そのため、その時代のその場所は、「あたたかくて浅い海だった」ことがわかるのです。

　では、 地層に関する問題を見てみましょう。

問題

　地層の堆積に関する次のa、bの文の正（○）または誤（×）の組み合わせとして適当なものを、次のア〜エの中から1つ選び、記号で答えなさい。

　a れきと泥が川から海に流れ込んだ場合、れきの方が陸地の近くに
　　堆積する。
　b 砂と泥が水中を沈んでいく場合、泥の方が沈む速さが速い。

	ア	イ	ウ	エ
a	○	○	×	×
b	○	×	○	×

（2023　開成）

115

解説 ••

　れきは海に流れこんですぐに沈んでいきます。そのため、陸地の近くに積もります。泥と砂では、砂の方がつぶが大きくて重いので、砂の方が早く沈みます。a は〇、b は×なので、答えは「イ」です。

化石から昔の環境や時代がわかる

　堆積岩の中にサンゴの化石が見つかると、その場所は「温かくて浅い海だった」ことがわかります。シジミの化石が見つかれば、その場所は「海水と真水が混ざり合っている河口付近もしくは湖」だったことがわかります。このように、その化石が見つかると、地層が堆積したときの環境がわかるような化石を「示相化石」といいます。

　アンモナイトは、およそ4億年前に出現し、世界中の海にいましたが、6600万年前に絶滅しました。アンモナイトは年代によって殻の形にちがいがあります。そのため、アンモナイトの化石が見つかると、その地層が堆積した時代がわかります。アンモナイトのように、地層が堆積した時代を特定できる化石を「示準化石」といいます。

　研究者は、顕微鏡で見なければわからないような化石である「微化石」も、示準化石・示相化石として用いています。「コノドント」という示準化石があります。コノドントは歯のような形をした化石で、それを持つ動物が暮らしていたのは6億年前から1億8千万年前です。このコノドント、大きさはどのくらいだと思いますか？　答えは、一辺が0.1〜0.5mm程度しかないのです。研究者は電子顕微鏡でコノドントの形を調べ、生息していた時代を特定しています。

三日月、半月、満月
──月が満ち欠けする理由

地球 ↘

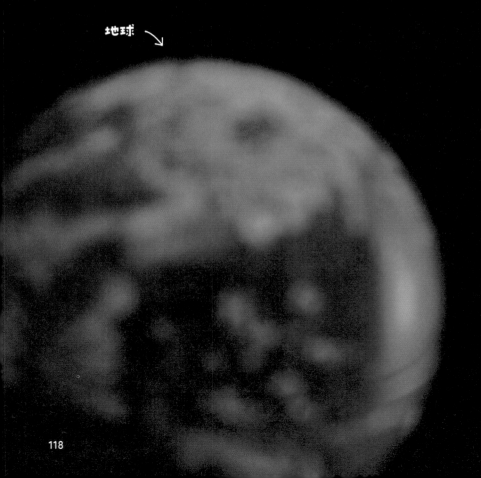

現在、わたしたちが使っている「太陽暦」は、地球が太陽のまわりを 1 年に一周していることをもとにした暦です。でも、明治維新のあとに「太陽暦」に変わるまでは、月の満ち欠けを元にした暦である「太陰暦」が使われていました。

　太陽は、日食のときは形を変えますが、それ以外ではいつもまるいですね。一方、月は三日月、半月、満月など形が変わります。三日月だった月が、徐々に見える部分が大きくなっていき、半月になり、満月になり、そのあとはだんだんと欠けていき、やがて見えない新月となります。なぜ月は「満ち欠け」をするのでしょう？　三日月は夕方に見えるのに、朝方には見えないのはなぜでしょう？

月 ↙

地球からは三日月に見えるよ！

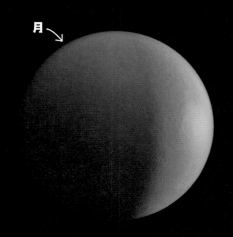

実験　月の満ち欠けを再現してみよう

用意するもの

● はさみ
● ストロー
● ピンポン玉
● セロハンテープ
● ライト

実験方法

❶ストローの先に切りこみを入れ、ピンポン玉がのるように折り曲げる。

❷セロハンテープでピンポン玉にストローをはりつける。

❸部屋を暗くし、ライトが太陽、ピンポン玉が月、自分の頭が地球というふうに一直線に並ぶようにする。2のストローを手で持ち、ピンポン玉を見上げるようにする（これが新月）。

❹そのままの状態で、からだを少しずつ左に回転していく。ピンポン玉に当たる光が地球からどのように見えるかを観察する。

❺一周するまで、少しずつ左に回転する。

＊丸いイスに座ってからだを回転させると実験しやすいです。

体を回転させると光って見える形が変わるよ！

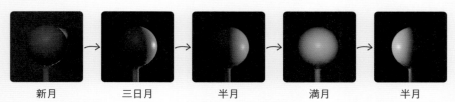

新月　→　三日月　→　半月　→　満月　→　半月

なぜ月は光って見えるの？

　地球は太陽のまわりを回り、月は地球のまわりを回っていますね。太陽は、自ら光を出しているので、いつでも丸く見えます。月は光っているように見えますが、太陽の光を反射しているだけで、月自体が光を出しているわけではありません。そのため、月の見えかたは、太陽と地球と月の位置関係によって変わります。

　遠くはなれた宇宙から見ると、月や地球はいつも太陽側の半分だけが光っていることになります。

　たとえば、地球から遠くはなれた北極星から「太陽、地球、月」を観察している場合を考えてみましょう。下図のように「太陽、月、地球」が並んで見えるときがあります。このとき、月に当たった太陽の光は、太陽側に反射しているため、地球からは見えません。これが「新月」です。

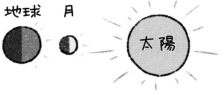

地球から月は見えない。これが新月。

　次に、「太陽、地球、月」の順番で並んでいるときのことを考えてみましょう（右図）。月に当たって反射した光はすべて地球から見えることになります。これが「満月」です。

地球から月は丸く見える。これが満月。

「太陽、地球、月の順に並んでいたら、太陽の光は地球にさえぎられて、月に届かないのでは？」と思うかもしれません。でも実際は「上から見ると一直線だけど、横から見るとずれている」のです。そのため光は月に届きます。

月の形が変わるのはどうして？

　太陽―地球と、地球―月の角度が90度になっている場合を考えてみま

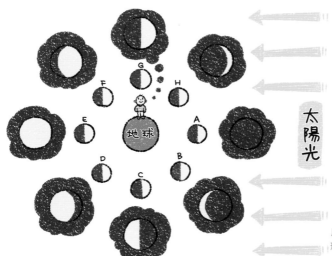

月の位置によって、月の形は変わって見える。

しょう。月が上図の「G」の位置にあるとき、地球から月を見上げると、右半分が光る半月（上弦の月）に見えます。月が図の「C」の位置にあるときは、左半分が光る半月（下弦の月）に見えます。

　では、月が図の「H」の位置にあるときはどうでしょう？　月に反射した太陽の光は、地球からは一部しか見えません。右側が細く明るく見えます。これが三日月です。

　月が図の「F」の位置にあるときは、半月より広い範囲が明るく見え、左側が少しだけ欠けた、丸に近い月に見えます。

　このように、月の満ち欠けは、太陽と地球と月の位置関係が変わることによって起こるのです。

月の自転と公転

　月がビー玉程度の直径 1cm の玉だとすると、地球と太陽の大きさはどのくらいになると思いますか？　地球の直径は月の約 3.7 倍なので、ピンポン玉よりちょっと小さいくらいですね。太陽の直径は月の約 400 倍なので、直径 4m の巨大な玉になります。

	直径 (km)	月を1とすると
月	3,475	1
地球	12,756	3.7
太陽	1,392,000	400

　地球は1日（約24時間）に1回、回転しています（自転）。そして1年（約365日）で太陽のまわりを一周（公転）しています。月も自転と公転をしています。月の自転と公転の周期は、どちらも約27日です。約27日かけて一回転しながら、地球を一周しているのです。自転と公転の周期が同じなので、地球から見える月は、いつも同じ面になります。

昼と夜はどのように決まる？

　北極星から地球をながめた場合を考えてみましょう（右図）。地球の自転の向きは、北極を中心にして反時計回りになります。太陽に面している側は日が出ていることになるので昼間で、太陽に面していない側は夜になります。

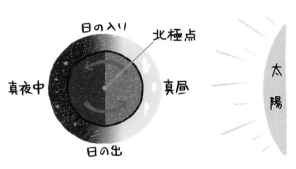

太陽に面している側は昼間、太陽の光が届かない側は夜。

　図のように、太陽に一番近い位置にある都市は真昼、一番遠い位置にある都市は真夜中です。夜から昼に変わるところは「日の出」、昼から夜に変わるところは「日の入り」になります。

　たとえば、日本が日の出の位置にあるとき、アラスカは昼間、アルゼンチンは日の入り、サウジアラビアは真夜中となります。

日の出のときの東西南北

　次は東西南北について考えてみましょう。地球上では、北極点がある方向が常に北、南極点がある方向が南ですね。そして、北に向かって右が東、左が西になります（**右上図**）。

　地球から見える太陽の方角が変わるのは、地球が自転しているからです。日本で日の出のとき、太陽がどの方角に見えるかを考えてみましょう。北は常に北極点方向になるので、太陽（朝日）は東に見えます。真昼には太陽は南に見え、日の入りのときは太陽（夕日）は西に見えます。

月の位置と見える方角

　宇宙から見て、「太陽、地球、月」の順番で並んでいるとき、地球から見える月は満月です。満月は、時間によってどの方角に見えるでしょうか？

　満月は日の入り後から日の出まで、夜の時間帯に見ることができます（**右中図**）。日の入りのときは東に、真夜中には南に、日の出

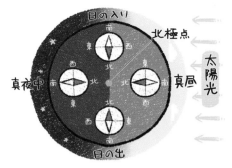

太陽は日の出のとき東に見え、日の入りのとき西に見える。

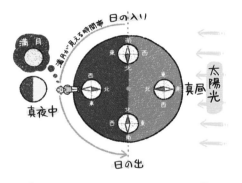

満月は、日の入りから日の出までの時間帯に見える。

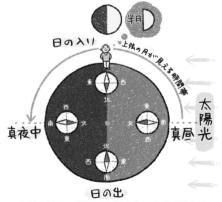

上弦の月は、真昼から真夜中にかけて見える。

のときは西の方角に見えます。

　次に、半分だけ月の光が見える半月（上弦の月）のときを考えましょう（124 ページ下図）。上弦の月が見えるのは、真昼から真夜中までです。真昼に東の方角に上弦の月が見えはじめます。日の入りのときは南に、そして真夜中には西の方角に見えます。

　次に、月の光が地球から少しだけ見える三日月のときを考えましょう（右図）。

　三日月は 9 時ごろに東の方角に見えはじめ、21 時ごろには西の方角に見えます。15 時くらいには南の方角に見えます。夕方、三日月が見えるのは南西の方角になりますね。

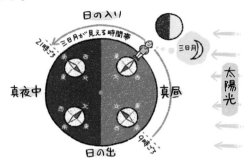

三日月は、朝 9 時ごろから 21 時ごろまで見える。

　このように、月と地球と太陽の位置関係によって、月が見える時間帯、そして見える方角が変わるのです。

　では、月の満ち欠けに関する問題を見てみましょう。

問題

　右の図は、地球の北極上空から見た太陽・地球・月の位置関係を模式的に表したものです。以下の問いに答えなさい。

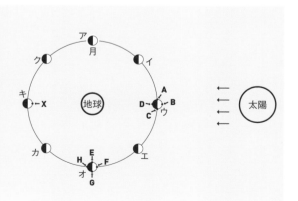

【問1】 月が図のキの位置のときの月面上の点 X は、月がウ、オの位置のときでは、A ～ D、E ～ H のどの点にありますか。それぞれ選び、記号で答えなさい。

【問2】 東京の真南の空に、上弦（じょうげん）の月が見えました。この日から 15 日後の［月の形］をあ～きから、15 日後の月が地平線からのぼってくる［時刻］をく～そから、最も適当なものをそれぞれ選び、記号で答えなさい。

［月の形］

あ　い　う　え　お　か　き

［時刻］

く　午前 3 時頃（ごろ）	け　午前 6 時頃	こ　午前 9 時頃
さ　正午頃	し　午後 3 時頃	す　午後 6 時頃
せ　午後 9 時頃	そ　真夜中頃	

（2021　豊島岡女子学園）

解説･･･

問 1

　月は自転（じてん）と公転（こうてん）の周期（しゅうき）が一緒（いっしょ）で、常（つね）に同じ面が地球に向いています。X の地点は常に地球の真正面（ましょうめん）にきます。ウの位置のときは「D」、オの位置のときは「E」です。

問2

　上弦の月というのは、地球から見たとき、右半分が光っている半月です。月は約29.5日周期で満ち欠けをくり返しています（月が地球のまわりを公転する周期より長くなるのは、地球も太陽のまわりを公転しているからです）。上弦の月から15日たつと、月の満ち欠けの周期の半分が過ぎることになるので、左半分が見える「下弦の月」になります。

　下弦の月の位置は、図のオです。見えはじめるのは真夜中です。答えは、月の形が「お」、時刻が「そ」です。

地　学　三日月、半月、満月──月が満ち欠けする理由

空気でっぽうの玉を
速く飛ばすには？

「のびたりちぢんだりするもの」といえば、何を思い浮かべますか？　「輪ゴム」や「ばね」などが浮かんできますね。「物体に力を加えると変形し、力が取りのぞかれると元の形にもどる」ことを、「弾性」といいます。輪ゴムは引っぱるとのびますが、はなすと元にもどります。ボールペンなどに入っているばねは、押すとちぢみますが、はなすと元にもどります。

　わたしたちのまわりにある空気にも、弾性があります。そして、わたしたちの身のまわりには、空気の弾性を利用したものがたくさんあるのです。「空気でっぽう」で遊んだことはありますか？　棒を押しこむと反対側から玉が飛び出すおもちゃです。簡単に作ることができるので、遊びながら空気の弾性について調べてみましょう。

ねらいを定めて〜　エイッ！

リンゴで空気でっぽうを作ろう

用意するもの

● 太いストロー
（直径10〜15mmほどの
タピオカストローがおすすめ）

● リンゴ

● わりばし（太いストローの中に入る棒
状のものなら何でもよい）

● ナイフとまな板

実験方法

❶リンゴを1cmほどの厚さ
に切る。

❷太いストローを1に垂直
に立ててつきさし、リンゴを
くりぬく。

❸続けてもう一度つきさし、
リンゴが2段につまっている
状態にする。

❹ストローの中のリンゴをわ
りばしで2cmほど中に押し
こむ（5でリンゴが飛び出さ
ないようにするため）。

❺ストローの反対側を1につ
きさす。

❻リンゴが2段につまってい
る方からわりばしを入れて押
し、反対側の玉を飛ばす。

＊リンゴとストローの間にすき間ができてしまうと、玉は飛び出しません。ス
トローをリンゴにつきさすとき、すき間ができないように気をつけましょう。
＊リンゴ以外に、ダイコン、ジャガイモ、サツマイモでも実験できます。

ストローの中には何がある？

　わりばしで片側のリンゴの玉を押すと、反対側の玉が勢いよく飛んでいきました。なぜでしょう？

　両はしの玉のあいだには、一見、何もないように見えます。でも実際には、両はしの玉のあいだには「空気」が閉じこめられています。

　空気には、酸素、窒素、二酸化炭素などの分子がふくまれています。これらの気体分子は、室温では秒速約 500m で動き回っています。

　わりばしで片側の玉を押していくと、玉のあいだの空間は小さくなり、気体分子が動き回れる範囲がどんどん小さくなります。しかし分子はその動きを止めません。すると分子がまわりにぶつかることが多くなり、まわりを押す力が大きくなっていきます。そして、玉では押さえきれないくらい力が大きくなると、反対側にある玉が飛び出していくのです。

　わりばしでゆっくりと玉を押すと、反対側の玉は飛び出すというよりも、コロンと落ちる感じになります。玉を速く押すと、反対側の玉は勢いよく飛び出します。

空気をばねのように使う

　右下の写真のように、空気でっぽうを机の上に立てて、上からわりばしで玉を押し下げてみましょう。押し返す力を感じたら、押すのをやめます。すると、押していた玉は元の位置の方にもどってきます。これは、ちぢんだ空気が元にもどったからです。このようにのびちぢみする性質を「弾性」といいます。

「空気の弾性」を使ったものは、わたしたちの身近にたくさんあります。たとえば自動車や自転車のタイヤです。タイヤには空気を入れますね。道路に石があってその上をタイヤが通ると、タイヤが少しへ

わりばしで玉を押し下げると、空気によって押し返される。

131

こみます。石がなくなるとタイヤは元にもどります。これは、空気に弾性があり、のびちぢみするからです。このおかげで、タイヤに空気が入っていれば、でこぼこ道でもスムーズに走ることができるのです。

では、空気の弾性に関する問題を見てみましょう。

問題

　　下図のような空気でっぽうを作って、いろいろ試してみました。空気でっぽうから空気は漏れないこととします。

【問1】　押し棒を押す速さを変えて試したところ、速く押すほど手応えが大きくなって前玉がよく飛びました。そうなる理由を説明した下の文章の空欄に、ア～ケからふさわしいものを選び記号を書きなさい。同じ記号を選んではいけません。

『手ごたえが大きいほど〔　　　〕。その結果、空気が〔　　　〕、前玉が飛び出した後に〔　　　〕、という2つの理由でよく飛んだ。』

　　ア．押し棒を押す力が強い

　　イ．筒から出る空気の量が多い

　　ウ．後玉が前玉を押す

　　エ．押し棒の力が直接前玉に伝わる

　　オ．空気がより縮まない

　　カ．押し棒を速く押す

　　キ．後玉よりも前玉を強く押す

　　ク．空気がより縮む

ケ．前玉を押す力が大きい

【問2】　空気で膨らませた小さなゴム風船を空気でっぽうの中に入れ、前玉を押さえて飛ばないようにして、押し棒をゆっくり押しました。このときの風船の様子をア〜オ、そうなる理由をカ〜シからそれぞれ選び、記号を○で囲みなさい。

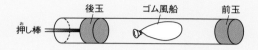

[風船の様子]

　ア．すばやく小さくなる

　イ．徐々に小さくなる

　ウ．そのまま変わらない

　エ．徐々に大きくなる

　オ．すばやく大きくなる

[理由]

　カ　風船の中の空気が徐々に少なくなるから

　キ．風船の中の空気がすぐに多くなるから

　ク．風船の中の空気の温度が徐々に下がるから

　ケ．風船の中の空気の温度が徐々に上がるから

　コ．風船の中の空気が徐々に縮むから

　サ．風船の中の空気がすぐに膨らむから

　シ．風船の中の空気は影響を受けないから

【問3】前玉と後玉の真ん中にスムーズに動く中玉を入れ、玉の間の一方を水で満たします。次図のAとBとでは、同じように押し棒を押しても前玉の動き方に違いが現れます。この違いと、そうなる理由

を書きなさい。

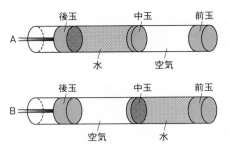

（2018　武蔵）

解説 ···

問1

　前玉と後玉のあいだには空気が閉じこめられています。後玉を押すと、閉じこめられた空気がちぢみ、まわりを強く押し返すようになります。

　押し棒を動かすときに手ごたえが大きくなるのは、空気がちぢんで、押し棒を押し返す力が強くなるからです。ちぢんだ空気は、元にもどろうとする力で前玉を動かします。前玉と筒のあいだには摩擦があるので、前玉は筒の中をゆっくりと動いていきます。でも、前玉が筒から出ると、摩擦は０となり、前に飛び出していきます。前玉が動いて飛び出すまでのあいだに、前玉の後ろにある空気がどれだけちぢむかによって、飛び出す勢いが変わります。押し棒を速く動かした方が空気のちぢみ方は大きくなるので、前玉は勢いよく飛び出すことになります。前玉と後玉のあいだにある空気は、前玉が飛び出したあとは、前に向かって出ていきます。縮み方が大きければ、前に向かって出ていく空気も多くなりますね。

　答えは、『手ごたえが大きいほど ［ク．空気がより縮む］。その結果、空気が ［ケ．前玉を押す力が大きい］、前玉が飛び出した後に ［イ．筒から出る空気の量が多い］、という２つの理由でよく飛んだ。』になります。

問2

　ゴム風船は、のびちぢみしやすいですね。空気でっぽうの中にゴム風船を入れると、筒の中の空気と同じように風船の中の空気ものびちぢみします。筒の中の空気がふくらめば風船は大きくなり、筒の中の空気がちぢめば風船は小さくなります。

　押し棒をゆっくり押すと、前玉と後玉のあいだに閉じこめられた空気はちぢんでまわりを強く押し返すようになります。ゴム風船も押されることになり、中の空気がちぢんでいきます。

　風船の様子は「イ．徐々に小さくなる」、理由は「コ．風船の中の空気が徐々に縮むから」です。

問3

　後玉と中玉の間に水を入れると、水はちぢまないので、後玉を押す力はそのまま中玉に伝わります。後玉が中玉までつながっていると考えてもいいかもしれません。

　中玉と前玉のあいだに水を入れると、後玉と中玉のあいだの空気は、「中玉と水と前玉」を押すことになります。前玉が中玉までつながっていると考えることができそうです。大きいものを動かすことになるので、強く押す力が必要になります。

　AとBで同じように押し棒を押しても、Bの前玉はAの前玉に比べて動きにくいことになります。AとBのちがいについての解答例は、「BよりもAの前玉の方がよく飛ぶ」となります。

　理由は、「水は押されてもちぢまない。Aは後玉と中玉のあいだに水があるので、押し棒で押された空気がまわりを押し返す力は直接前玉に伝わることになる。Bは中玉と前玉のあいだに水があるので、前玉を動かすには、中玉と水も一緒に動かす必要がある。そのため、押し棒で押された空気がまわりを押し返す力はAと同じだとしても、前玉は動きにくくなるから。」が解答例となります。

虫めがねのレンズで
太陽のエネルギーを集めよう

煙が出て
燃えはじめるよ!

虫めがねを使うと、小さなものが大きく見えますね。肉眼では見づらい昆虫の触角なども、虫めがねを使うとよく見ることができます。「小さなものを大きくして見る」ための虫めがねですが、「大きなものを小さくする」こともできます。

　晴れている日に、虫めがねを地面に近づけると、虫めがねの影がうつります。でも、影の中のレンズの中心部分は明るいです。虫めがねを地面に近づけたり遠ざけたりすると、明るい部分が大きくなったり小さくなったりします。この明るい部分には、虫めがねのレンズに当たった太陽の光が集められているのです。

　画用紙に黒い丸を書いて、虫めがねで集めた光を当てるとどうなるでしょう？　あっという間に煙が出てきて、そのうち火がつきます。小さく集められた太陽の光には大きなエネルギーがあるのです。「絶対に虫めがねて太陽を見てはいけない」という理由がわかりますね。

実験 虫めがねで紙を燃やそう

用意するもの

- 虫めがね

- 画用紙

- 黒いペン(太字)

実験方法

❶白い画用紙に黒いペンで丸を書いてぬりつぶす。

❷画用紙を地面に置き、虫めがねを紙に近づけたり遠ざけたりしながら、光が小さく明るくなる点を探す。

❸画用紙の白い部分に光を集める。

❹画用紙の黒い部分に光を集める。

＊太陽が出ているときに、屋外で行いましょう。絶対に虫めがねで太陽を見てはいけません。
＊火がついたときにすぐに消せるように、そばに水を用意して実験を行いましょう。

138

とても大きな太陽エネルギー

虫めがねを画用紙に近づけると、画用紙に光が当たります（**右写真**）。虫めがねを画用紙から遠ざけると光は小さくなり、さらに遠ざけるとまた大きくなります。一番光が小さくなるところで虫めがねを止めて、画用紙の黒くぬった部分に光が当たるようにすると、煙（けむり）が出てきました。そのまま光を当て続（つづ）けると、紙に火がつきました。

太陽の中心部では、とても大きなエネルギーが作られています。太陽から遠くはなれた地球にも、そのエネルギーの一部が届（とど）きます。太陽全体のエネルギー量（りょう）からすれ

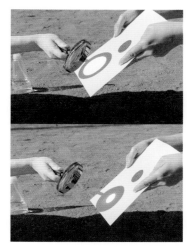

虫めがねを画用紙から遠ざけると光は小さな点となり、明るさが増す。

ば、ほんの一部のエネルギーです。それでも、「地表に届く1時間分の太陽エネルギーで、世界全体で使われている1年間分のエネルギーをまかなえる」といわれるほど、太陽エネルギーは大きいのです。太陽光発電は、この太陽エネルギーを電力として利用（りよう）できるように変（か）えたものです。

白と黒のちがい

実験（じっけん）で、画用紙を黒くぬりつぶした部分と、白い部分の2か所に光を当てました。すると、黒い部分の方が早く燃（も）えました。

太陽の光には、いろいろな波長（はちょう）の光がふくまれています。すべての光が反射（はんしゃ）されると、わたしたちには「白」に見えます。すべての光が吸収（きゅうしゅう）されると、わたしたちには「黒」に見えます。黒くぬりつぶした部分は、白い部分より、太陽の光を吸収しやすいのです。

1点に小さく集められた太陽の光は、高いエネルギーを持ちます。画用

紙は、温度が 450℃ くらいの熱があると燃えます。画用紙を黒くぬりつぶした部分は、太陽の光を吸収して熱くなり、白い部分よりも早く燃えはじめたのです。

虫めがねで光を集められる理由

虫めがねのレンズの形をよく見ると、真ん中がふくらんでいますね。このようなレンズを凸レンズといいます（右図）。

光は「同じものの中ならまっすぐに進み、ちがうものの中に入ると折れ曲がる」という性質があります。まっすぐに進んできた光

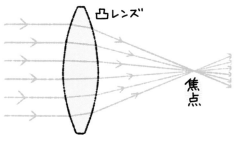

レンズを通りぬけた光が集まる場所を「焦点」という。

は、レンズに入るときに曲がり、出るときにまた曲がります。レンズをぬけた光は、そのまままっすぐに進みます。レンズを通りぬけた光が１点に集まる場所が「焦点」です。

虫めがねと画用紙の距離によって、光の大きさは変わりました。画用紙と虫めがねの距離が近いと光は大きくなりますが、明るさはそれほどでもありません。ちょっとずつはなしていくと、光は徐々に小さくなり、明るさが増します。一番小さくなったところが焦点です。画用紙を黒くぬりつぶした部分は、この焦点の近くで燃えました。虫めがねをもっとはなしていくと、光はまた徐々に大きくなっていきます。

では、虫めがねに関する問題を見てみましょう。

問題

次の図は、虫めがねを使って、紙の上に太陽の光を集めている様子を表しています。これについて、後の問いに答えなさい。

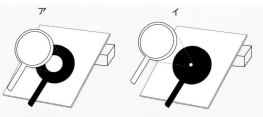

【問】　アとイの光を集めた部分について述べた次の①〜③の文のうち、正しいものには〇、まちがっているものには×を書きなさい。

①アの方が、レンズと紙の上の明るい部分とが近いので、イよりも明るくなる。
②アの方が、明るい部分が大きいので、イよりも明るくなる。
③イの方が、太陽の光が一か所に集中するので、アよりも熱くなる。

（2019　筑波大学附属）

解説・・・

　アとイを比（くら）べると、アの方がレンズと紙の距離（きょり）が近いですね。そしてイの方が、紙の上に集めた光の大きさはずっと小さくなっています。虫めがねに差（さ）しこむ太陽光の量（りょう）は、アもイも変（か）わらないので、イの方が、ぎゅっと太陽のエネルギーを集めていることになります。

　①……光は、イのように小さく集中した方が明るくなります。よって×です。
　②……明るい部分が小さいほど明るくなります。よって×です。
　③……太陽の光が集まっているので、アより明るく、熱（あつ）くなります。〇です。

振り子の速さを変えるには
どうすればいい？

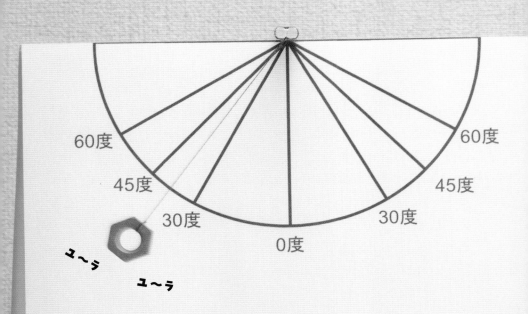

60度　45度　30度　0度　30度　45度　60度

ユ〜ラ　ユ〜ラ

ガリレオ・ガリレイを知っていますか？　ガリレオは地動説をとなえ、1633年に当時のカトリック教会から有罪判決を受けました。ガリレオは自分で改良した望遠鏡を使って、月のクレーターや太陽の黒点の観察をしました。そして、金星が満ち欠けすることや、木星の衛星の動きも観察し続け、「地球が太陽のまわりを回っているのだ」と確信していたのです。

　ガリレオは天文学だけでなく、物理学でも大きな発見をしています。ピサ大聖堂にあるつり下げ型のランプがゆれるのを見ていたガリレオは、「大きくゆれても小さくゆれても、往復するのにかかる時間は同じ」ということを発見したのです。ガリレオが発見した「振り子の等時性」を、わたしたちも確認してみましょう。

実験　振り子がゆれる時間をはかってみよう

用意するもの

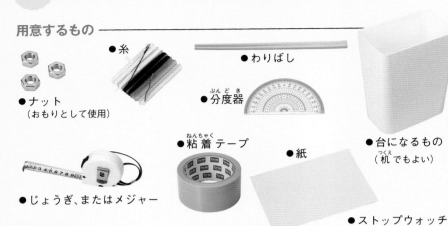

● 糸
● わりばし
● ナット
（おもりとして使用）
● 分度器
● 粘着テープ
● 紙
● 台になるもの
（机でもよい）
● じょうぎ、またはメジャー
● ストップウォッチ

実験方法

❶紙の上に分度器を置き、0度、30度、45度、60度の位置に印をつけて大きな分度器を作る。

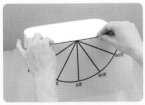

❷作った紙の分度器を台にはりつける。

❸ナットに糸を通し、しっかり結ぶ。

❹糸の先をわりばしのわれ目にはさみ、糸の長さがナットの中心から30cmになるように、糸をわりばしに巻きつける。

❺わりばしの太い方を粘着テープで台の上にしっかり固定する。

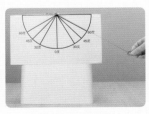

❻ナットを60度の角度まで持ち上げて手をはなし、10回往復するのにかかる時間をはかる。角度を30度、45度に変えて時間をはかる。

糸の長さを変えたらどうなる？

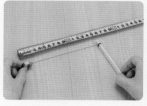

❶糸の長さを 15cm に短くする。

❷ナットを持ち上げる角度が 30 度、45 度、60 度のとき、それぞれ 10 回往復するのにかかる時間をはかる。

テーブルを利用して

テーブルの板に粘着テープで固定しても実験できます。

おもりの重さを 2 倍にしたらどうなる？

❶糸の先に結ぶナットの数を 2 つにする。

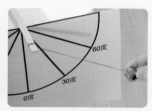

❷ナットを持ち上げる角度が 30 度、45 度、60 度のとき、それぞれ 10 回往復するのにかかる時間をはかる。

結果を表にしてみよう

10 回往復するのにかかった時間（秒）

		30 度	45 度	60 度
ナット1つ	糸の長さ　30cm	11.13	11.26	11.02
	糸の長さ　15cm	7.91	7.76	7.80
ナット2つ	糸の長さ　30cm	10.93	10.85	11.12
	糸の長さ　15cm	7.83	7.91	7.94

＊使う糸の種類や太さなどによって、10 回の往復にかかる時間は変わってきます。そのため、みなさんの実験結果とは異なる可能性があります。

145

実験結果からわかること

　ナットが 1 つで糸の長さが 30cm のとき、角度を変えて 10 回往復する時間をはかると、時間はほぼ同じでした。角度、つまりおもりの振れ幅がちがっても、10 回の往復にかかる時間は変わらないことがわかります。

　おもりの重さを変えるとどうなるでしょうか。ナットを 2 つにしてみましょう。重くなるので、振り子の動きは速くなりそうな気がしますが、実際に時間をはかってみると、ナット 1 つのときとあまり変わりません。

　糸の長さが同じであれば、おもりの振れ幅や重さを変えても、10 回の往復にかかる時間は変わらないようです。

往復にかかる時間は何によって変わる？

　今回の実験では、糸の長さが 30cm のときは、ナット（おもり）が 1 つでも 2 つでも、10 回の往復にかかる時間は約 11 秒でほとんど変わりませんでした。でも、糸の長さを 15cm にすると、往復にかかる時間は約 8 秒と短くなりました。ナットが 1 つでも 2 つでも、約 8 秒でした。

　このことから、振り子の往復にかかる時間は、糸の長さがちがうと変化することがわかります。

　ガリレオは、天井からつり下がっているランプが大きくゆれても小さくゆれても、往復する時間が変わらないことを発見しました。この時代のランプは、たくさんのロウソクをともしたものです。ロウソクは時間がたつと小さくなりますね。ロウソクの重さが変わっても、ランプの往復の時間は変わらないのです。

　では、往復の時間を変えるにはどうすればいいでしょうか？　ランプをつり下げるひもの長さを変えれば、往復にかかる時間は変わるはずですね。

同じ高さまでもどるのはなぜ？

おもりを持ち上げて手をはなすと、いったん下まで行って反対側に上がっていきます（**右図**）。手をはなす角度が30度なら反対側の30度まで、60度なら反対側の60度まで上がっていきます。なぜでしょう？

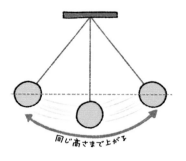

同じ高さまで上がる

床にある重いものを持ち上げるとき、ひざまで持ち上げるのと、頭の上まで持ち上げるのでは、頭の上に持ち上げる方が大変ですね。高いところにある物体は、低いところにある物体よりも、高いエネルギーを持ちます（位置エネルギー）。ですから、高いところに持ち上げる方が、より大きなエネルギーが必要なのです。

次に、物が動く速さとエネルギーについて考えてみましょう。床に置いてある重いものをゆっくり動かすのと速く動かすのでは、速く動かすときの方が大変です。速く動いている物体の方が、ゆっくり動く物体よりも大きなエネルギーを持っているからです（運動エネルギー）。そのため、速く動かす方が、より大きなエネルギーが必要になります。

この高さに関する「位置エネルギー」と、動きに関する「運動エネルギー」の2つが、振り子の動きに関係しています。

物体が運動しているとき、位置エネルギーと運動エネルギーの合計は常に等しくなります。わたしたちが手でおもりを持ち上げると、おもりの位置は高くなり、おもりの位置エネルギーは大きくなります。手でおもりを持っているときは、おもりは動いていないので、運動エネルギーは0です。手をはなすと位置エネルギーは小さくなり、運動エネルギーは大きくなります。一番下に行くと、位置エネルギーは0になり、運動エネルギーは一番大きくなって、そのまま反対側に向かいます。反対側に行って最初に手をはなした高さまでくると、今度は運動エネルギーが0になるので、

また下に向かって動きはじめます。これがくり返されるのです。

　今回の実験では、しばらくすると振り子は止まってしまいました。それは、糸とわりばしがこすれ合ってしまうことや、糸がのびてしまうこと、空気の抵抗など、外から加わる力がいろいろとあるからです。外から加わる力がなければエネルギーは保たれ、振り子は永遠に動き続けるのです。

　では、振り子に関する問題を見てみましょう。

問題

　おもり（直径 2cm の鉄球）と、細くて伸びない丈夫な糸を用いて振り子を作りました。図 1 のように、糸はおもりの表面に固定された、ごく小さな輪に結びつけました。また、図 2 のように地面に対して垂直な壁にくぎを打ち、おもりが壁にふれないようにくぎに糸を結んで、その点を振り子の支点 O としました。以下の問題では振り子は小さく振らせるものとして、運動する間、糸がたるむことはなかったものとします。

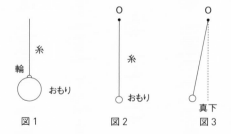

図1　　　図2　　　図3

[実験]

図 3 のように糸が張った状態でおもりを持ち上げて、静かに手をはなして振り子を運動させた。このとき、振り子の周期（1 往復にかかる時間）を知るために、ストップウォッチを使って、おもりが 10 往復するのにかかる時間を測った。振り子の長さ（※）を変えたところ、この時間は次の表のように変化した。

※「振り子の長さ」とは、支点からおもりの中心までの長さのことである。

【結果】

振り子の長さ [cm]	50	100	（ A ）
10 往復の時間 [秒]	（ B ）	20	22

さらに振り子の長さを様々に変えながら測定した結果、

（10 往復の時間 [秒]）×（10 往復の時間 [秒]）÷（振り子の長さ [cm]）

……★

の計算で得られる値は振り子の長さによらずほぼ同じになることが分かった。

【問 1】［実験］で、振り子の長さが 100cm のとき、★の値を求めなさい。なお、必要であれば四捨五入して整数で答えなさい。

【問 2】［実験］の結果を示した表で、（ A ）（ B ）の数値として最も近いものを、次のア〜カからそれぞれ 1 つずつ選び、記号で答えなさい。

ア　120　　イ　140　　ウ　160　　エ　12　　オ　14　　カ　16

【問 3】［実験］の振り子の長さが 100cm の状態から、糸の長さを変えずに、おもりを次の①、②に替えたとき、周期はもとのおもりのときと比べてどのようになりますか。次のア〜ウからそれぞれ 1 つずつ選び、記号で答えなさい。

　①直径 2cm のアルミ球
　②直径 3cm の鉄球

ア　長くなる　　イ　変わらない　　ウ　短くなる

（2019　海城　改変）

解説

問1

（10往復の時間［秒］）×（10往復の時間［秒］）÷（振り子の長さ［cm］）を求める問題です。結果の表を見ましょう。振り子の長さが100cmのとき、10往復の時間は20秒なので、この式に当てはめると、20×20÷100＝4となります。答えは「4」です。

問2

　問題文に、（10往復の時間［秒］）×（10往復の時間［秒］）÷（振り子の長さ［cm］）は、振り子の長さにかかわらずほぼ一定とあります。
（A）は、10往復の時間が22秒のときの振り子の長さを求めることになります。22×22÷（振り子の長さ）＝4になるので、振り子の長さは22×22÷4＝121cmになります。一番近いのは「ア」です。
（B）は、振り子の長さが50cmのときの10往復の時間を求めることになります。
（10往復の時間［秒］）×（10往復の時間［秒］）÷50＝4なので、
（10往復の時間［秒］）×（10往復の時間［秒］）は4×50＝200です。
　12×12＝144、14×14＝196、16×16＝256なので、（10往復の時間［秒］）に一番近いのは、「オ」の14です。

問3

　①……直径2cmという同じ大きさの球の場合、アルミ球の方が鉄球より軽くなります。おもりは軽くなりますが、支点から重心までの長さが変

わらなければ、往復の時間は変わりません。答えは「イ」です。

　②……鉄球を直径 3cm にすると、おもりの中心の位置は支点から少し遠ざかることになります。そのため、振り子の糸が長くなったときと同様に、往復にかかる時間も少し長くなります。答えは「ア」です。

スプーンにゼムクリップを
くっつける方法

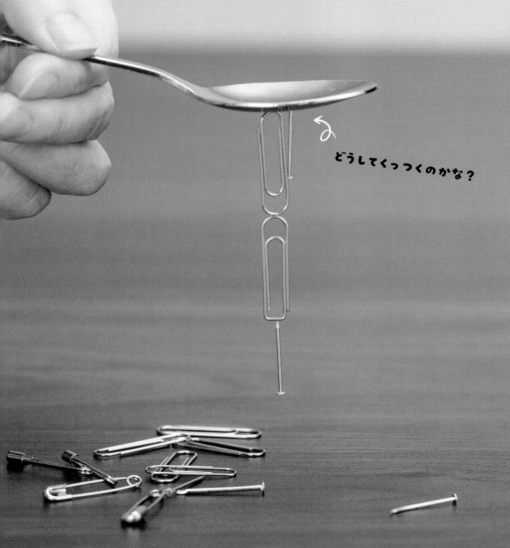

どうしてくっつくのかな？

磁石をゼムクリップに近づけると、くっつきますね。ゼムクリップなど鉄でできているものは、磁石に引き寄せられるのです。

　鉄でできているスプーンも磁石にくっつきます。でも、スプーンとゼムクリップを近づけても、そのままではくっつきません。それなのに、この写真ではスプーンにゼムクリップがくっついていますね。いったいなぜなのでしょう？

実験 スプーンを磁石にしよう

用意するもの

● 金属製スプーン
（磁石にくっつくもの）
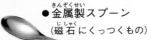

● 糸

● ゼムクリップ

＊磁石にくっつかないスプーンではできません。

● 磁石（磁力が強いもの）

● セロハンテープ

● ブックエンドなど
磁石がくっつく
金属の板

実験方法

❶スプーンをゼムクリップに近づける（くっつかないことを確認）。

❷スプーンを磁石で一方向に何度もこする。（往復してこすってしまうと磁石になりません。必ず一方向に。）

くっついた！

❸スプーンをゼムクリップに近づける。

＊くっつかなかったら、さらに磁石でこすってから試してみましょう。
＊こする代わりに、しばらくスプーンに磁石をくっつけておくだけでもできます。

磁石の力をさまたげよう

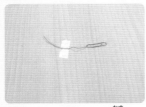

❶ゼムクリップに糸を結びつけ、糸をセロハンテープで机にはりつける。

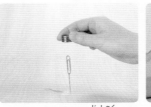

❷ゼムクリップに磁石を近づけ、上に浮かせる。

クリップが

落ちた！

❸ゼムクリップと磁石のあいだに金属の板を入れてみる。

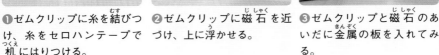

なぜスプーンは磁石になったの？

　最初はスプーンをゼムクリップに近づけても、くっつかなかったのに、スプーンを磁石でこすったあとに近づけると、くっつきました。まるでスプーンが磁石になったみたいですね。

　でも、どんなスプーンでも同じように、磁石でこすればゼムクリップがくっつくようになるわけではありません。「磁石にくっつくスプーン」でなければならないのです。

　よくまちがえてしまうのですが、金属ならすべてが磁石にくっつくわけではありません。くっつくのは、鉄、コバルト、ニッケルだけです。鉄をふくんだステンレスのような合金も磁石にくっつきます。でも、金、銀、銅といった、磁石にくっつかない金属だけでできたものは、磁石にくっつきません。そのため、磁石にくっつかないスプーンもあるのです。

　鉄をふくんだ素材からできているスプーンは、磁石にくっつきます。磁石にくっつくスプーンを磁石でこすると、磁石のようなはたらきをするようになります。なぜでしょう？

　鉄は、たくさんの鉄原子でできています。1個1個の鉄原子は磁石の性質を持ち、この鉄原子がいくつか集まって「小さな磁石」を作っています。ただ、普通の鉄の中では、この「小さな磁石」の向きがバラバラなので、全体としての磁力は打ち消されています。でも、磁石で何度もこすったり、しばらく磁石をくっつけておくと、鉄の中の「小さな磁石」の向きがそろい、磁石のようにはたらくようになります（右図）。

磁石で
こすると…

磁石の力がさまたげられた理由

　実験で、糸を結んで机に固定したゼムクリップに磁石を近づけると、ゼムクリップは吸い寄せられるように空中に浮かびました。でも、鉄がふく

まれる金属の板（ブックエンド）をあいだに入れようとしたら、ゼムクリップは落ちてしまいました。なぜでしょう？

　磁石とゼムクリップのあいだに金属の板を入れると、磁石と金属の板の中の鉄原子が引き合ってしまうので、ゼムクリップに届く磁石の力がほとんどなくなってしまいます。このため、ゼムクリップは落ちてしまうのです。この板が、磁石にくっつく金属ではなく、磁石のくっつかないプラスチックなどでできた板だったら、磁石との間にさしこんでもゼムクリップは落ちることなく、空中に浮かび続けます。

　では、磁石に関する問題を見てみましょう。

問題

　鉄のゼムクリップにピアノ線を結び、反対側を机に固定しました。そして棒磁石とゼムクリップの間をあけながらゼムクリップをもちあげ、ゼムクリップを空中で静止した状態にしました（図1）。次の問いに答えなさい。

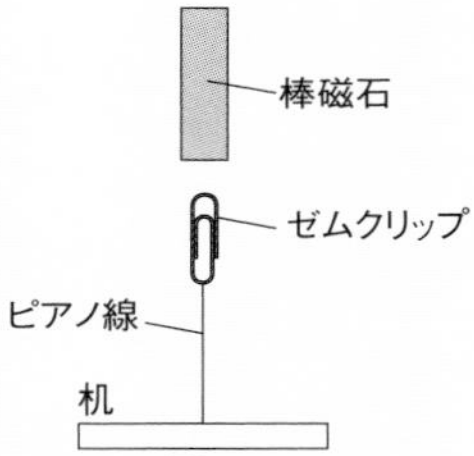

【問1】棒磁石とゼムクリップの間に、それぞれ厚さ2mmの木の板とアクリル板を差しこむ実験を行いました（図2）。ゼムクリップはどのようになりますか。もっとも適当なものを選び、ア〜エで答えなさい。

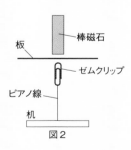

図1

図2

ア　木の板を差しこんだときは落下し、アクリル板を差しこんだときは空中に静止したままだった。

イ　木の板を差し込んだときは落下し、アクリル板を差しこんだときも落下した。

ウ　木の板を差しこんだときは空中に静止したままで、アクリル板を
　　差しこんだときも空中に静止したままだった。
エ　木の板を差しこんだときは空中に静止したままで、アクリル板を
　　差しこんだときは落下した。

【問2】棒磁石やゼムクリップを加熱する実験を行いました。次の(あ)、
(い)は実験とその結果です。(あ)、(い)から考えられるものをすべ
て選び、ア〜オで答えなさい。

(あ)図1の状態のまま、棒磁石だけをじゅうぶんに加熱したところ、
　　ゼムクリップは落下した。加熱をやめて棒磁石が冷えてから棒磁
　　石をゼムクリップに近づけたところ、ゼムクリップは引きつけら
　　れなかった。

(い)図1の状態のままゼムクリップだけをじゅうぶんに加熱したとこ
　　ろ、ゼムクリップは落下した。加熱をやめてゼムクリップが冷え
　　てから棒磁石をゼムクリップに近づけたところ、ゼムクリップは
　　再び棒磁石に引きつけられた。

ア　棒磁石の磁性はじゅうぶんに加熱するとなくなるが、冷えると戻
　　る。
イ　棒磁石の磁性はじゅうぶんに加熱するとなくなり、冷えても戻ら
　　ない。
ウ　棒磁石の磁性はじゅうぶんに加熱しても変化しない。
エ　ゼムクリップの磁性はじゅうぶんに加熱するとなくなるが、冷え
　　ると戻る。
オ　ゼムクリップの磁性はじゅうぶんに加熱するとなくなり、冷えて
　　も戻らない。

（2019　浦和明の星女子）

物理 スプーンにゼムクリップをくっつける方法

157

問1

　ゼムクリップは鉄でできているので、磁石に引きつけられて上に持ち上がります。木の板やアクリル板は、鉄とちがって磁石にくっつきませんね。磁石に引きつけられる物質ではできていないのです。そのためゼムクリップを持ち上げる磁力は弱くならず、ゼムクリップは落下しません。答えは「ウ」です。

問2

　（あ）から、棒磁石は加熱するとゼムクリップを引きつけられなくなり、冷えたあとも引きつける力（磁性）はもどらないことがわかります。そして（い）からは、ゼムクリップは加熱すると磁石に引きつけられなくなるが、冷えるとふたたび磁石に引きつけられることがわかります。

　ア……（あ）から、棒磁石の磁性は加熱するとなくなり、冷えてももどらないことがわかるので、まちがっています。

　イ……（あ）から、棒磁石の磁性は加熱するとなくなり、冷えてももどらないことがわかるので、合っています。

　ウ……（あ）から、棒磁石は加熱により磁性が変わることがわかるので、まちがっています。

　エ……（い）から、ゼムクリップは加熱すると磁石に引きつけられなくなるが、冷えると引きつけられることがわかるので、合っています。

　オ……（い）から、ゼムクリップは加熱すると磁石に引きつけられなくなるが、冷えると引きつけられることがわかるので、まちがっています。

　答えは、「イ」と「エ」です。

渡り鳥はどうやって方角がわかるの？

　春になると南からやってくるツバメやキビタキ、冬になると北からやってくる白鳥やマガモ。日本には多くの渡り鳥がやってきますね。渡り鳥の中には、キョクアジサシのように、北極圏から南極までの長い距離を往復する鳥もいます。

　これらの渡り鳥は、どうやって方角を知るのでしょう？　近年、「渡り鳥の網膜には地磁気を感じるタンパク質がある」ということが明らかになってきました。

　地磁気というのは、地球が持つ磁気のことです。地球内部の「外核」と呼ばれる部分は、主に鉄でできています。大きな圧力と高温により、鉄は固体ではなく液体となっています。そして液体の鉄が動くことにより地磁気が発生すると考えられています。地磁気があるため、地球は「大きな磁石」となり、方位磁針で北と南の向きがわかるのです。

　渡り鳥は、わたしたち人間には見ることのできない地磁気を「見て」、飛んでいく方向を決めているのかもしれませんね。

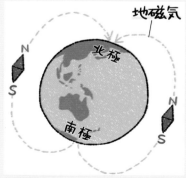

地球は大きな磁石になっている。

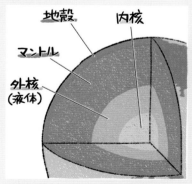

地球内部にある液体の鉄が動くことで地磁気が発生する。

まるで手品！
氷の中を通りぬける針金

針金が、

だんだん氷の中に

入っていくよ！

木材をのこぎりで切ったあと、ふたたびくっつけるにはどうしたらいいでしょう？　ぎゅっと押さえつけるだけでは、元の木材のようにはくっつきません。接着剤やくぎを使って、くっつけるしかなさそうです。木材と同じように、多くのものは、一度切ったら元のように１つにくっつけるのはむずかしいものです。

　ところが、氷はちがいます。氷を針金で切りはなしても、まるで手品のように、そのあとすぐにくっついてしまうのです。氷の中を針金が通っていく様子を、実験で見てみましょう。

実験 氷の中に針金を通してみよう

用意するもの

● 牛乳パック
(長い氷を作るのに使用)

● 細い針金　1m程度

● 1Lのペットボトル
2本(おもりにする)

● 同じ高さの台2つ
(ペットボトルより高さ
があるもの)

● 水を受けるトレイなど

実験方法

❶牛乳パックに水を入れて冷凍庫に入れ、2〜3日おいて完全に凍らせる。

❷ペットボトルの首の部分に針金をしっかり巻きつけて結ぶ。

❸2本のペットボトルの間の針金の長さが30cm程度になるようにして、もう1本の首にも針金を巻きつける。

❹2つの台を置き、その上に橋をかけるように氷をのせる。2本のペットボトルには水を入れてふたをする。

❺氷の上に針金をわたして、針金の両端からおもりとなるペットボトルがぶら下がった状態にする。

❻そのまま2〜3時間、針金の様子を観察する。

＊室温によって氷のとけるスピードが変わります。針金の太さによっても通りぬけるスピードが変わります。時間は目安です。

針金にかかる大きな圧力

　おもりをつけた針金は、しばらくすると吸いこまれるように氷の中に沈んでいきました。そして針金は氷を通りぬけて下に落ちました（**右写真**）。でも氷は切断されることなく、1本につながったままです。なぜでしょう？

　これには圧力が関係しています。水を入れたペットボトルを横向きに倒して、手のひらにのせてみましょう。それほど重さは感じないですね。でも、ふたの部分を下にして手のひらにのせると、同じペットボトルなのに、重く感じます（**下写真**）。同じ重さでも、支える面積が小さくなると、物体を押す力である「圧力」は大きくなるのです。

　実験で氷にかけた針金のおもりも、手

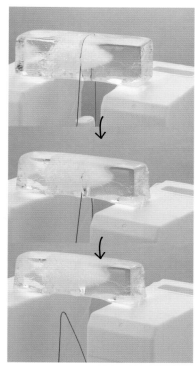

氷にかけた針金（写真上）は氷の中に入っていき、しばらくすると通りぬける（写真下）。

のひらにペットボトルをのせて持ち上げることはできますが、針金部分を指にかけて持ち上げようとすると、針金が指に食いこんでしまい、けがをする危険があります。2L分の水の重さを細い針金で支えることになるので、とても大きな圧力がかかるのです。

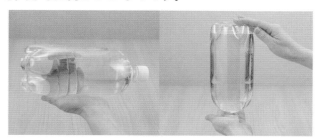

手のひらに触れる面積が小さい方が、重く感じる。

氷に針金が吸いこまれるのはなぜ？

　氷は大きな圧力がかかると、液体の水に変化する性質があります。実験で氷の上におもりをつけた針金をわたすと、針金部分に大きな圧力がかかります。このため、圧力がかかった部分の氷が液体の水になり、針金が氷の中に入っていったのです。

　針金が通りすぎたあとは、氷にかかる圧力がなくなります。このため、とけていた水がふたたび固体の氷にもどります。

　「大きな圧力がかかって氷が水になる→おもりをつけた針金が沈む→針金が通りすぎて圧力がかからなくなった場所は水が氷にもどる」ということがくり返されるので、針金はどんどん沈んでいき、通りすぎたところは氷にもどります。つまり、針金は通りぬけたのに氷は切れていない、ということが起こるのです。

氷が水になる温度は変化する

　針金が当たっている部分の氷と、そのまわりの氷の温度は変わらないはずです。それなのに氷がとけて針金が沈んでいくのは、「針金が当たって圧力が高くなっている部分では、温度が同じでも、氷が液体になる」からです。

　水には、固体（氷）、液体（水）、気体（水蒸気）という状態があります。1気圧では、氷が水になる温度は0℃、水が水蒸気になる温度は100℃ですね。でも、水には「圧力が高くなると、固体から液体に変わる温度は0℃より低くなり、液体から気体に変わる温度は100℃より高くなる」という性質があります。つまり、圧力が高くなると、液体の水のままでいる温度の幅が広がるのです。実験で、氷は0℃以下なのに、針金のすぐ下の氷がとけて液体の水になったのは、この性質によるものです。

　では、水の状態と圧力に関する問題を見てみましょう。

問題

図のように、おもりを両端につけた糸を氷にかけたところ、糸で押された部分の氷が一度融けて、糸が通ったあとは再び凍りました。糸で押された部分とその他の部分での、圧力と固体の氷から液体の水に変化する温度について説明した文として正しいものを、あとのア～エの中から1つ選び、記号で答えなさい。

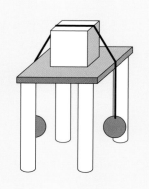

ア　糸で押された部分の圧力はその他の部分の圧力より高く、固体の氷が液体の水に変化する温度は糸で押された部分の方が高い。

イ　糸で押された部分の圧力はその他の部分の圧力より高く、固体の氷が液体の水に変化する温度は糸で押された部分の方が低い。

ウ　糸で押された部分の圧力はその他の部分の圧力より低く、固体の氷が液体の水に変化する温度は糸で押された部分の方が高い。

エ　糸で押された部分の圧力はその他の部分の圧力より低く、固体の氷が液体の水に変化する温度は糸で押された部分の方が低い。

（2022　聖光学院）

解説

氷におもりつきの糸をかけると、糸は徐々に氷の中に入っていきます。同じ重さを支えるのでも、支える面積が小さいと、かかる圧力は高くなります。細い糸でおもりの重さを支えると、糸で押された部分の圧力は高くなります。

「糸で押された部分の氷が一度融けて、再び凍った」ということは、高い

圧力がかかると、本来は固体の氷になる温度でも液体の水に変化するということです。温度が低くても液体のままということは、固体の氷が液体の水に変化する温度が低くなるということですね。答えは「イ」です。

南極にあるのに凍らない湖

　地球上で一番寒い地域である南極大陸。南極点の月平均最高気温は、冬である7月はマイナス56℃、夏である1月でもマイナス26℃という寒さです。でも、氷にとざされた南極に、凍っていない湖が存在します。

　南極の厚い氷の下には、150個近くも湖（氷底湖）があることがわかっています。氷底湖の中で最大のものは、ボストーク湖。長さ約240km、幅約50kmという大きな湖で、水温はマイナス3℃だそうです。氷点下なのに、なぜ凍らないのでしょう？

　ボストーク湖は、氷の下、約4000mのところにあります。分厚い氷の下なので、非常に高い圧力がかかっていることになりますね。水は高い圧力の下では、凍る温度が0℃よりも低くなります。このため、マイナス3℃でも液体の水のままなのです。

　今はほかの大陸からはなれている南極大陸ですが、1億8千万年前までは「ゴンドワナ大陸」という大きな大陸の一部でした。ゴンドワナ大陸は、少しずつバラバラになり、アフリカ、南アメリカ、インド、オーストラリアなどに分かれていったのです。ゴンドワナ大陸の一部だったころの南極大陸は、今よりずっとあたたかく、恐竜も住んでいました。ボストーク湖は、そのころからある湖だと考えられています。

尾嶋好美 おじま・よしみ

東京都生まれ。女子学院中学校・高等学校卒業。北海道大学農学部畜産学科卒業、同大学院修了。筑波大学生命環境科学研究科博士後期課程単位取得退学。博士（学術）。筑波大学にて、15年間にわたって、科学に強い関心を持つ小中高校生のための科学教育プログラムを企画・運営。著書に『本当はおもしろい中学入試の理科』（小社）、『おうちで楽しむ科学実験図鑑』『理系力が身につく週末実験』『「食べられる」科学実験セレクション』など、編訳書に『「ロウソクの科学」が教えてくれること』（いずれも SB クリエイティブ）がある。一男一女の母。

写真	香野寛
イラスト	多田あゆ実
ブックデザイン	森デザイン室
編集担当	八木麻里、長谷川洋美（大和書房）

かんたんじっけん
簡単実験でわかる！ 解ける！

ぞく ほんとう
続 本当はおもしろい
ちゅうがくにゅうし りか
中学入試の理科

2023 年 7 月 1 日　第 1 刷発行

著者	尾嶋好美（おじまよしみ）
発行者	佐藤 靖
発行所	大和書房（だいわ）
	東京都文京区関口 1-33-4
	電話　03-3203-4511
本文印刷	光邦
カバー印刷	歩プロセス
製本	ナショナル製本